BASTEI
LÜBBE

Henriette von Preewitz

Lauter glückliche Tage

Ein Buch
der Erinnerung an Schlesien
und das alte Berlin

BASTEI
LÜBBE

BASTEI-LÜBBE-TASCHENBUCH
Band 10 714

© 1984 by Franz Schneekluth Verlag, München
Lizenzausgabe: Gustav Lübbe Verlag GmbH, Bergisch Gladbach
Einbandgestaltung: K. K. K.
Gesamtherstellung: Ebner Ulm
ISBN 3-404-10714-4

Neulich hatten mich meine beiden Enkel gefragt, wo ich denn als Kind zu Hause gewesen sei. Sie holten gleich meinen großen Atlas herbei, damit ich es ihnen zeigen könne. Der Junge, der in Geographie schon weiter war als seine Schwester, schlug die Deutschlandkarte auf.

Ich mußte lächeln, ein wenig amüsiert und ein wenig traurig zugleich. Sie konnten ja nicht wissen, daß meine alte Heimat längst nicht mehr in Deutschland lag...

Ich blätterte weiter, bis ich sie gefunden hatte: die Karte von Polen. Ich deutete auf einen kleinen Punkt.

»Das hier ist Breslau an der Oder«, erklärte ich. »Einst war es die größte und schönste Stadt von Schlesien, meiner Heimat. Und ein wenig entfernt davon lag unsere Bahnstation — Prausnitz.«

Mein Enkel sah mich zweifelnd an. »Aber das heißt doch gar nicht Breslau, sondern...«, er buchstabierte mühsam, »...W-r-o-c-l-a-w.«

Ich nickte. »So heißt es heute, weil es jetzt in Polen liegt, seit Ende des Krieges, vor über dreißig Jahren. Aber ihr seid noch zu klein, um das richtig zu verstehen. Doch von damals, als ich nicht viel älter als ihr war, kann ich euch eine Menge erzählen, wenn ihr Lust habt. — Vielleicht beim nächsten Mal«, fügte ich hinzu, weil es schon spät war. Als die beiden gegangen waren, nahm ich mein Tagebuch zur Hand, das ich als junges Mädchen begonnen hatte, und dann holte ich noch das Fotoalbum meiner Familie, das ich wie einen kostbaren Schatz all die Jahre gehütet habe und das mit mir schon um die halbe Welt gereist ist.

Und plötzlich hatte ich eine Idee: Ich würde sie aufschreiben, all diese Geschichten aus meiner Kindheit, und dann könnte ich sie meinen Enkeln vorlesen und mit ihnen die Fotos betrachten.

Aber den Vogel hat dann doch mein Bruder Robi abgeschossen. Meine Enkel haben ihm nämlich von meinen Geschichten erzählt, und er hat heimlich mein Manuskript und die Fotos stibitzt und sie einem Freund gegeben, und der gab sie einem Verleger. Und das war dann das zweite Mal, daß mich Robi zur Schriftstellerin gemacht hat. Das erste Mal... Doch davon erzähle ich in diesem Buch, das ich eigentlich nur für meine Enkel schreiben wollte.

Nur achtundzwanzig Zimmer

»Bei mir beginnt ein Schloß ab hundert Zimmer aufwärts«, pflegte mein Großvater zu sagen, wenn jemand unser Haus als Schloß bezeichnete.

Einmal ermahnte mich Fräulein Schuster, unsere Lehrerin: »Bilde dir bloß nicht ein, Henriette, daß du alles tun kannst, wozu du Lust hast, nur weil du in einem Schloß auf die Welt gekommen bist!«

»Unser Haus ist kein Schloß«, sagte ich und zitierte Großvaters Ausspruch.

»Wieviel Zimmer habt ihr denn?« wollte die Lehrerin wissen.

»Achtundzwanzig«, antwortete ich wahrheitsgemäß.

»Auch noch zuviel«, brummte Fräulein Schuster unfreundlich, und ich war froh, daß wir nicht mehr Zimmer hatten.

Die Zahl achtundzwanzig stimmte wirklich, ich habe einmal mit meinem Bruder Robert die Zimmer gezählt. Allerdings waren wir uns zunächst nicht einig, ob der Erker auf der zweiten Etage auch als Zimmer gelten durfte.

Dieser Erker wurde allgemein, wenn auch mit einem gewissen Spott, ›Hettis Zimmer‹ genannt, weil ich mich am liebsten dort aufhielt. Es war eigentlich kein richtiges Zimmer, sondern eben nur ein Erker, in den der lange und breite Korridor der zweiten Etage mündete.

Die Fenster waren mit farbigen Butzenscheiben verglast, die die Sonnenstrahlen blau, grün und rot färbten. Zu einer bestimmten Tageszeit, die nach den Jahreszeiten wechselte, sahen die Fenster von weitem wie ein Regenbogen aus. Das größte und breiteste von ihnen, in der Mitte des Erkers, erlaubte den schönsten Ausblick auf die große, alte Platane und über die mit wilden Rosen bewachsene Steinmauer hinaus auf unseren Bach und auf die Wiesen und Wälder.

Vom rechten Fenster aus erblickte man, noch innerhalb der Mauer, den Teich, in dem Gänse und Enten planschten. Dahinter lagen die Ställe und das Gesindehaus. Vom linken Fenster aus sah man bis zu dem ziemlich weit entfernt liegenden Dorf hinüber.

Unter den Fenstern waren Sitzbänke angebracht, aber nur selten kam jemand auf die Idee, sich hierherzusetzen und die Aussicht zu bewundern. Das lag sicher auch daran, daß sich im zweiten Stock ausschließlich Gästezimmer befanden, die nicht oft benützt wurden. Wenn der Besuch Kinder hatte, dann schleppte ich sie in den Erker, um ihnen die Gegend zu zeigen. Wir durften die Fenster öffnen und, auf den Ruhebänken kniend, uns ziemlich weit hinausbeugen, ohne Gefahr, da die Gitterstäbe nicht flach angebracht waren, sondern sich weit nach außen wölbten.

Ohne meine Mutter zu fragen, hatte ich eines Tages von Hannes dem Stallknecht, einen kleinen Tisch und einen Stuhl aus dem Kinderzimmer herauftragen lassen und den Erker zu meinem Zimmer erklärt. Mein unerlaubtes Besitzergreifen wurde nachträglich sanktioniert, und von da an hieß der Erker ›Hettis Zimmer‹. Ich war sehr stolz auf meine etwa acht Quadratmeter große Eroberung.

Einmal hörte ich, wie Großvater zu einer Besucherin sagte: »Kolumbus kann bei der Entdeckung Amerikas nicht stolzer gewesen sein.«

Aber Robi wollte beim Zimmerzählen den Erker partout nicht als Zimmer anerkennen. »Es fehlt die vierte Wand.«

Schließlich gab ich nach. Keineswegs, um Muttis ewiger Sentenz »Der Klügere gibt nach« gerecht zu werden, sondern einfach nur so, weil ich keine streitsüchtige Person bin. Daß Muttis Spruch hinkt, wußte ich schon lange. Darüber hat Großvater mich aufgeklärt. »Das ewige Nachgeben kann auch Nachteile bringen«, sagte er.

Großvater war das Oberhaupt der Familie. Einen Vater hatten wir nicht. Biologisch gesehen schon, aber nicht bei uns zu Hause. Er lebte in Amerika. »Er mußte wegen einer dummen Geschichte dorthin reisen«, erzählte Martin, unser alter Diener, einmal einer neu engagierten Köchin, die sich in unserer Familiengeschichte noch nicht auskannte. Die Köchin kam aus Ungarn, genauso wie unsere Mutter und unser Hund Cigány, den ein ungarischer Onkel meiner Mutter geschenkt hatte. Cigány bedeutet auf ungarisch soviel wie Zigeuner. Der Rasse nach war er ein Puli. Schwarz wie ein Zigeuner war er nicht, sein zottiges, verfilztes Fell war grau, reichte bis zum Boden und hing ihm über das Gesicht. Man mußte zweimal hinsehen, um festzustellen, was bei ihm hinten und was vorne war.

Cigány hatte eine seltsame Angewohnheit: Er ließ sich einfach nicht ins Haus holen. In die Küche kam er hie und da schon, im Winter, wenn es sehr kalt war, aber die anderen Räume des Hauses betrat er nie. Wir Kinder haben oft versucht, ihn mit Rufen und Pfiffen hereinzulocken, vergeblich. Er steckte manchmal seinen Kopf über die Türschwelle, doch weiter kam er nicht. Wenn wir aufhörten, ihn beim Namen zu rufen, begann er zu winseln, aber er blieb draußen, als ob ihm eine unsichtbare Zauberkraft verbieten würde, die Schwelle zu übertreten.

Großvater verbot uns dieses grausame Spiel, wie er es nannte, und erklärte uns Cigánys absonderliches Benehmen. »Das ist atavistisch. Diese Hunde wurden in Ungarn so erzogen, daß sie niemals die Innenräume betreten durften. Die Pulis waren richtige Hirtenhunde, die die Schafherden bewachten und mit dem Schäfer zusammen auf der Weide schliefen oder im Winter in den Stallungen. Jeder von ihnen hatte sein Lieblingspferd und umgekehrt die Pferde ihre Lieblingshunde. Es war eine echte Freundschaft zwischen den Tieren, und wenn sie außer Dienst waren, hockten sie immer zusammen.«

»Wie Hannes und Lieschen«, bemerkte ich, als Großvater zum Schneuzen eine Pause machte.

»Das ist doch nicht dasselbe.« Großvater schmunzelte und tätschelte mein Gesicht. Dann fuhr er fort: »Bei diesem freien Leben wurden die armen Hunde mit ihren verfilzten Fellen natürlich dreckig und stanken. Gebadet und gekämmt, wie unser Cigány, wurden sie höchstens alle Jubeljahre. Deshalb durften sie nicht ins Haus.«

Robert, der die Angewohnheit hatte, allen Dingen auf den Grund zu gehen, fragte: »Warum heißt das atavistisch?«

»Tja, warum?« fragte Großvater zurück, holte ein dickes Buch vom Regal und las uns vor: »Atavismus bedeutet Rückschlag, Rückartung, regelwidriges Wiederauftreten von Eigenschaften der Ahnen.«

Robi nickte. »Ich verstehe. Cigány stinkt nicht, aber er weiß es nicht. Er glaubt, er darf nicht ins Haus.«

»So ist es«, freute sich Großvater. »Siehst du, da hast du wieder etwas gelernt.«

Dieses neue Wissen hat dem armen Robi allerdings einige Tage später eine Ohrfeige von dem Lehrer Tschurke eingebracht.

Diesem an sich gutmütigen Mann saß die Hand ziemlich locker, weil er unter seinem Namen litt, den natürlich jedermann wie ›Schurke‹ aussprach. Er kam aus einer Lehrersfamilie, auch der Vater und der Großvater waren Lehrer gewesen. Der Vater hatte einmal an das Ministerium eine Eingabe wegen Namensänderung gemacht, aber er war abgewiesen worden, und so mußte der Sohn die Last des Namens weiter tragen.

An besagtem Tag schrieb Robert an der Tafel und machte dabei einen Fehler, und sofort wischte der Lehrer mit dem nassen Schwamm alles wütend ab. Statt über den Fehler eine Erklärung abzugeben, fragte er höhnisch: »Was glauben Sie, Schüler von Preewitz, aus welchem Grunde ich Ihre Schmiererei vernichtet habe?«

»Aus Atavismus, Herr Schurke«, antwortete Robi, und schon klatschte es.

Beim Mittagessen, in der kurzen Pause zwischen Suppe und Hauptgang, erkundigte sich Robi: »Großvater, wie viele Wörter stehen in dem dicken Buch, aus dem du über Atavismus vorgelesen hast?«

Großvater zog die Schultern hoch. »Ehrlich gesagt, genau weiß ich es nicht. Aber sicher mehrere zigtausend. Warum interessiert dich das?«

Robi grinste. »Wenn ich für jedes neue Wort, das ich lerne, eine Ohrfeige bekomme, lerne ich lieber keine neuen Wörter mehr!«

Dann erzählte er uns die Geschichte mit dem Lehrer Tschurke, die Großvater sehr amüsant fand. Nur Mutti schimpfte: »Du lachst, statt dagegen zu protestieren, daß dein Enkel in der Schule geschlagen wird!«

»Eine Ohrfeige hat noch niemand geschadet«, erklärte Großvater.

Robi schien erstaunlicherweise der gleichen Ansicht zu sein. »Es hat nicht weh getan. Wenn Großvater zuschlägt, tut es viel mehr weh.«

Großvater schien Robis Bemerkung als Kompliment aufzufassen, denn er schloß mit einem stolzen »Na also!« die Unterhaltung und ließ sich von meiner Mutter zwei Scheiben Sauerbraten und drei Kartoffelklöße auf den Teller legen.

Eine dumme Geschichte

Unser Vater also lebte zwar nicht bei uns, aber dafür gab es von ihm jede Menge Fotografien im Wohnzimmer, in der Bibliothek, im Billardzimmer, von Muttis Zimmer ganz zu schweigen. Philipp von Preewitz trug auf den Fotos immer Uniform, meistens saß er hoch zu Roß. Mutti erzählte einmal, daß er Berufsoffizier war, bei der Garde in Potsdam. Wir, Robi und ich, waren dort auf die Welt gekommen. Wir wohnten auch in Potsdam, bis unser Vater nach Amerika mußte, wegen der dummen Geschichte, die uns niemand erzählen wollte.

Ein besonders großes Bild von unserem Vater stand im Wohnzimmer, in einem Silberrahmen. Er war darauf mit einem anderen Offizier abgebildet, und alle Besucher, die zum erstenmal zu uns kamen, riefen angesichts des Bildes achtungsvoll aus: »Das ist doch der Kronprinz!«

Das war wirklich Kronprinz Wilhelm, der Sohn von Kaiser Wilhelm, der aber längst nicht mehr Kaiser war, ebensowenig wie sein Sprößling Kronprinz.

Der neugierige Robert wollte unbedingt wissen,

warum nicht, und Großvater hielt uns geduldig einen Vortrag über den verlorenen Krieg, über die Abdankung des Kaisers und über die neue Republik, die in Weimar gegründet worden war und die Großvater, nach seinem angewiderten Gesichtsausdruck zu schließen, nicht unbedingt schätzte.

»Eurem Vater ist das alles erspart geblieben. Der Krieg, die Niederlage und die sogenannte Revolution. Vielleicht war die Dummheit, die er beging, gar nicht so dumm.«

Unsere erneute Frage nach Vaters ›Dummheit‹ wurde wieder mit Kopfschütteln beantwortet.

»Ihr seid noch zu jung!« hieß es.

Eines Tages erfuhren wir doch die Wahrheit. Genauer gesagt, Robi erfuhr sie vom Stallknecht Hannes und ich von Robi.

Unser Vater hatte einen Menschen getötet, im Duell. Dieser Mensch war Adjutant des Kronprinzen gewesen und sein guter Freund zugleich, soweit man mit einem Kronprinzen befreundet sein konnte. Es ging um eine Frau. Eigentlich hätte unser Vater sich mit dem Kronprinzen duellieren müssen, erzählte die Fama, aber das ging natürlich nicht. So starb der Graf Hohenau für seinen Freund. Der Kronprinz war sehr böse, der Kaiser und die Generäle Hindenburg und Ludendorff ebenfalls. Unseren Vater hätte man ins Gefängnis gesteckt, behauptete Hannes, wenn er nicht rasch nach Genua gefahren wäre und sich dort nach Amerika eingeschifft hätte.

Wir begriffen die Zusammenhänge nicht ganz und debattierten mit heißen Köpfen darüber. Noch in derselben Nacht brachte Robi einen schwarzen Kasten zu mir, in dem zwei Duellpistolen lagen. Er hatte ihn aus Großvaters Schreibtisch gemopst und schnupperte lange an den Pistolenläufen. Er wollte wissen ob sie noch nach Pulver rochen. Aber das taten sie natürlich nicht.

Ich erhielt zu dieser geheimnisvollen Affäre noch eine zusätzliche Information, die ich ebenfalls nicht ganz begriff und die mir für längere Zeit viel Kopfschmerzen machte.

Ich saß wieder einmal im Wohnzimmer in meinem Lieblingssessel, einem tiefen Ledermöbel mit hoher Lehne, unsichtbar für Leute, die das Zimmer betraten. Auch die Schwestern von Watzlaff, die vom Diener Martin hereingeführt wurden, konnten mich nicht sehen. Martin bat sie, Platz zu nehmen, die gnädige Frau würde gleich kommen. Die Schwestern setzten sich aber nicht, sie wanderten neugierig umher, und plötzlich hörte ich, wie die Ältere ausrief: »Schau dir das an, Edith! Sie geniert sich nicht, den Kronprinzen hier aufzustellen! Im Silberrahmen!«

Die Jüngere pflichtete ihr bei: »Wenigstens den armen Philipp hätte sie abschneiden sollen!«

Schmusend, wie zwei Katzen, begrüßten die beiden Biester meine Mutter, die kurz darauf ins Zimmer kam.

Bei dem unisono vorgebrachten Kompliment »Elisabeth, wie gut du aussiehst!« stand ich plötzlich auf. Die Watzlaffs, die sich zuvor allein gewähnt hatten, erstarrten vor Schreck. Ich machte einen artigen Knicks und rauschte mit erhobenem Haupt hinaus. Ich glaube, so königlich wie damals habe ich nie wieder schreiten können.

Das Goldpferd

Die wichtigste Rolle in unserer Familie spielten, abgesehen von Großvater, die Pferde. Vor allem das Pferd unseres Vaters, das in einer eigenen kleinen Koppel sein Gnadenbrot fraß. Es hieß Filou, weil es aus Frankreich kam. In seiner Jugend hatte es Quadrille tanzen können. Großvater zeigte mir öfter ein Album, in dem es immer wieder abgebildet war, zusammen mit elf anderen Pferden, lauter Rappen mit glänzenden Fellen. Sie gehörten alle Offizieren eines französischen Reiterregiments, die mit ihnen gelegentlich Vorführungen veranstalteten.

Einmal hat sich Großvater, als er mit uns das Album durchblätterte, verplappert. Er wies auf ein Foto von einem französischen Badeort und sagte: »Das ist Deauville, hier hat euer Vater Filou beim Pokern gewonnen.«

Mutti, die dabei war, wurde böse: »Erzähl doch den Kindern nicht so was!«

Aber Robis Neugierde war schon geweckt. »Was ist Poker?«

»Ein Kartenspiel«, sagte Großvater. »Ich zeige es dir einmal.«

Mutti verließ wütend das Zimmer.

Jedes Familienmitglied hat Filou mindestens einmal am Tag besucht. Es war eine Art Pflichtübung.

Großvater sagte jedesmal, wenn er zu Filou ging: »So, jetzt will ich mal unseren Mäzen besuchen.«

Und Mutter zischte ihm jedesmal zu: »Laß das doch endlich!«

Sie meinte nicht Großvaters Besuch auf der Koppel, sondern das komische Wort ›Mäzen‹, das wir nicht verstanden.

Robert, neugierig wie immer, schaute in dem dicken Buch nach. Da stand: »Freigiebiger Kunstfreund, benannt nach dem Römer Maecenas.«

Filou ein Kunstfreund? Damit konnten wir wirklich nichts anfangen.

Filous bester Freund war Cigány. Er strich den ganzen Tag um ihn herum, nachts schlief er bei ihm im Stall. Einmal, als Filou krank war und das Futter verschmähte, brachte ihm Cigány einen riesigen Schinkenknochen aus seiner Vorratskammer, die er unter einem Hollunderbusch eingerichtet hatte, und legte ihn Filou zu Füßen. Aber das Pferd interessierte sich nicht für den Knochen. So erzählte uns Hannes die Geschichte, aber die Erwachsenen wollten nicht daran glauben. Wir Kinder schon.

Wir hatten zu Filou ein ganz anderes Verhältnis als Großvater oder gar Mutti. Wir nannten ihn auch nur selten bei seinem Namen, für uns war er »unseres Vaters Pferd«, etwas Lebendiges, das er hier hinterlassen hatte, um es vielleicht einmal zu holen. Wir waren es auch, die Großvater überredet hatten, den Viehdoktor Bolowicz zu holen, nachdem Filou drei Tage gefastet hatte. Das Zureden war nötig, denn es war Winter, die Straßen waren vereist, und Großvater ließ bei diesem Wetter nicht gerne einspannen. Aber schließlich fuhr er selber nach Prausnitz, um den Doktor zu holen. Wir standen alle dabei, als der alte Bolowicz das kranke Pferd untersuchte, ihm eine Spritze gab und schließlich ein Medikament verschrieb und die notwendigen Verhaltensregeln vortrug. Wir hörten alle aufmerksam zu, nur Cigány brummte drohend. Er wollte dem Doktor schon an die Beine, als er die große Injektionsspritze sah.

Hannes sollte den Doktor zurückkutschieren. Als er sich verabschiedete, bedankte sich Großvater bei Bolowicz und übergab ihm einen grünen Geldschein.

Der Doktor wunderte sich: »Ein Dollar?«

Großvater schmunzelte. »Filou zahlt immer mit Dollar. Wenn Sie es für sich behalten, kann ich Ihnen erzählen, daß wir alle von Filous Apanage leben, die mein Sohn jeden Monat aus Amerika überweist.«

Nachdem die Kutsche mit dem Doktor abgefahren war, attackierte Robi sofort Großvater. »Was ist eine Apanage?«

»Ordinär ausgedrückt: Geld. Euer Vater schickt Futtergeld für Filou. Er schickt Dollars. Da bei uns Inflation herrscht...«

Robi unterbrach ihn: »Was ist das?«

»Geldentwertung. Unsere einheimische Währung ist im Eimer, der Wert des Dollars steigt immer höher. Wenn euer Vater uns das Geld nicht schicken würde, müßten wir noch mehr Wiesen verkaufen, als wir es sowieso schon getan haben. Viel würde es allerdings auch nicht nützen. Bis wir den Preis aushandeln und die Verträge beim Notar unterschreiben, ist das Geld schon wieder mal weniger wert.«

Großvater hatte, anders als sonst, sehr ernst gesprochen. Robi heiterte ihn mit einer Bemerkung auf, mit der er den Nagel wieder auf den Kopf traf: »Wir müssen Vaters Pferd unbedingt gesund pflegen, damit es uns noch lange erhalten bleibt.«

Unsere beiden Reitpferde hießen Romeo und Julia. Letzteres war, wie es schon der Name verriet, eine Stute. Romeo war ein Wallach. Was ein Wallach ist, verstanden wir nicht so ohne weiteres.

Hannes sagte auf unsere Frage: »Ein Hengstverschnitt.«

Das strohblonde Hausmädchen Lieschen kicherte nur albern, als wir sie fragten.

Erst Großvater gab uns sachlich Auskunft: »Ungestüme Pferde werden durch eine Operation fügsam gemacht. Allerdings können sie dann keine Fohlen mehr zeugen.«

Romeo war keineswegs ungestüm, und Julia schon gar nicht. Beide waren lammfromm, und wir durften mit ihnen auch allein ausreiten.

Weitaus temperamentvoller waren die Pferde für die Kutschen. Sie waren echte Lipizzaner und wurden Risi und Bisi genannt, weil sie aus Österreich kamen. In Wirklichkeit hießen sie Theodora und Agrippina, aber Großvater mochte die hochtrabenden Namen nicht und taufte die beiden einfach auf Risi und Bisi um, was den stolzen weißen Pferden bestimmt nicht gefallen hätte, wenn sie gewußt hätten, was ihr neuer Name bedeutete. Risi-Bisi nennt man in Österreich eine Beilage aus Reis und grünen Erbsen, die man zum Fleisch serviert. Die braven Pferde hatten davon keine Ahnung und trugen jeden von uns vier, Großvater, Mutti, Robi und mich, im freundlichen Trab oder auch im schnellen Galopp geduldig auf dem Rücken.

Die Arbeitspferde standen in einem anderen Stall, hinter dem Gemeindehaus, unter der Obhut des Pächters Franzek Malzahn, dem Vater von Lieschen. Sie hatten weniger ausgefallene Namen, sie hießen Hans und Erich und Rose und sogar Lieschen. Wegen dieser Stute bestand unser Hausmädchen immer darauf, nicht Lieschen, sondern Lieselotte gerufen zu werden. Allerdings mit wenig Erfolg.

Onkel Franzek

Mit den Kühen, Ziegen und Schweinen hatten wir weniger Kontakt, sie nahmen an Zahl auch rapide ab. Notgedrungen wurden sie eins nach dem anderen verkauft, oder sie wurden gestohlen. Dies nahm Onkel Franzek sich viel mehr zu Herzen als unser Großvater. Onkel Franzek, den Großvater als einen »knorrigen Erzgebirgler« bezeichnete, sprach sehr wenig, und wenn, dann nur zu seinen Pferden. Aber schimpfen konnte er. Er verfluchte lautstark die räuberischen Zigeuner und die Regierung in Weimar, die seiner Ansicht nach auch nicht mehr taugte als die Zigeuner. Daß einer von den Weimarern, Paul Löbe, Schlesier war und aus Liegnitz stammte, beeindruckte ihn auch nicht.

»Warum drucken sie keine Geldscheine, die ihren Wert behalten?« fragte er immer wieder.

Keiner konnte ihm eine Antwort geben.

Onkel Franzek war mein Freund. Meine Mutter ermahnte mich einmal, ich sollte ihn nicht Onkel nennen, das klänge »verwandtschaftlich«. Aber wie sollte ich ihn dann nennen? Ich konnte doch nicht »Malzahn« zu ihm sagen wie mein Großvater.

Als ich mich um Rat an Großvater wandte, knurrte er: »Deine Mutter ist manchmal eine alberne Gans.«

Meine Mutter war eine geborene Gräfin Nádasdy, aus Tatabánya, und sogar mit den Esterházys verwandt. Unser Vater war nur ein Baron.

Onkel Franzek war weder das eine noch das andere, aber er war ein prachtvoller, seelenguter Mensch. Er konnte allerdings fuchsteufelswild werden, wenn man ihn fragte, ob er der berühmte Franzek sei, der Partner des berühmten Antek.

Damals kursierten in ganz Schlesien Witze à la Graf Bobby über zwei einfältige Männer, die Antek und Franzek hießen. Und Franzek war meistens der Dumme. Großvater konnte diese Witze in schönster schlesischer Mundart erzählen. Sein Lieblingswitz war: »Antek zu Franzek: Schon lang nicht gesähn! Wo warst so lang? Franzek: Im Gefängnis. Antek: Wegen was? Franzek: Beamtenbestechung. Antek: Du und Bestechung! Dazu bist viel zu knuserig. Franzek: Mit Mässer, Meensch!«

Unser Franzek konnte mit seinem Messer lustige Figuren aus Holz und sogar aus Zuckerrüben schnitzen, Maultrommeln und Flöten fabrizieren, Fahrräder und Schlittschuhe reparieren. Meiner Puppe hatte er sogar ein neues Auge eingesetzt, als sie plötzlich auf einem Auge blind wurde. Er benützte dafür eine Glaskugel aus Robis Murmelmagazin. Mathilde hatte jetzt zwei verschiedenfarbige Augen, aber das sah sehr lustig aus. Angeline Kiederlich, die in der Schule neben mir saß und mich manchmal auch besuchen durfte, beneidete mich wegen meiner Puppe.

Martha, Onkel Franzeks Frau, ging noch sparsamer mit den Wörtern um als ihr Mann. Einmal hörte ich einem Gespräch zwischen den beiden zu. Ich saß in der Küche bei Martha, die mir nach tschechischem Rezept Liwanzen briet — herrliche süße Hefepfannkuchen —, als Franzek von der Feldarbeit nach Hause kam und fragte: »Soll ich dir erzählen, Martha, wen ich getroffen habe?«

»Neenee«, antwortete Martha auf gut schlesisch und brutzelte weiter.

Ich mischte mich ein: »Aber mir kannst du es erzählen, Onkel Franzek.«

Onkel Franzek schien die ungewohnt lange Frage ermüdet zu haben, er schüttelte den Kopf. »Jetz nu nich mehr.«

Im Frühjahr und im Sommer kam ich fast jeden Tag an dem Gemeindehaus vorbei, weil kaum hundert Meter weiter ein Akazienwäldchen lag, wo ich mich, wenn ich nicht in meinem Erker saß.

am liebsten aufhielt. Allerdings war selbst der verkleinernde Ausdruck Wäldchen übertrieben, denn es standen dort nur sieben Bäume, die sich wie Exoten ausnahmen. Mutti hatte die Sprößlinge aus Ungarn kommen lassen, gleich nachdem sie hier in das Haus eingezogen war und feststellen mußte, daß auf dem ganzen Gut keine Akazienbäume vorhanden waren.

»Ich bin in Tatabánya unter Akazien aufgewachsen«, erzählte sie mir.

Sie ließ von Onkel Franzek einen kleinen Tisch und zwei Bänke tischlern und unter den Bäumen aufstellen, und früher hatte sie oft dort gesessen, stickend oder lesend, bis ich größer wurde und ihren Platz einnahm.

Im Frühjahr war es nicht ganz ungefährlich, hier zu sitzen. Die Bienen tanzten und summten über meinem Kopf, aber sie haben mich nie gestochen. Onkel Franzek, der selber einige Bienenstöcke besaß, behauptete, er hätte mit den Bienen abgesprochen, daß sie mich in Ruhe ließen. Irgend etwas Wahres mußte daran gewesen sein, denn Robi wurde sofort von ihnen überfallen, wenn er auftauchte. Bald gab er es überhaupt auf, hierherzukommen, und ich hatte meine Ruhe.

Ansonsten standen auf unserem Gut jede Menge Obstbäume: Pflaumen, Äpfel, Birnen, Nüsse und goldgelbe Quitten, aus denen Martha Malzahn mir wunderbar schmeckende Quittenschnitten machen konnte, diesmal nach einem ungarischen Rezept, das ihr meine Mutter gegeben hatte.

Auf die gleiche Art bereitete sie kandierte Kürbisse zu, die man, genauso wie die Quittenschnitten, für den Winter auf großen Kuchenblechen aufheben konnte. Aus unerfindlichen Gründen bewahrte man diese Bleche oben auf Schränken auf. Robi hatte sich so manche Blessuren zugezogen, wenn er, um die Köstlichkeiten zu stibitzen, einen Schemel auf einen Stuhl stellte, hinaufkletterte — und mit vollen Backen kauend herunterfiel.

»Klara, lieb und hold«

Großvater pflegte seine umfangreiche Post auf seinem Schreibtisch im Verwaltungsbüro, das er jeden Tag in der Früh aufsuchte, liegen zu lassen. Hier sortierte er sie dann: Die Geschäftsbriefe öffnete er gleich, die privaten erst nachmittags, bei Kaffee und Zigarre.

Mutti bekam viel seltener Post, obwohl sie Lieschen jeden Tag danach fragte.

Doch eines Tages, wir saßen gerade beim Frühstück, brachte Lieschen gleich zwei Briefe für Mutti.

Der eine Umschlag war schwarz umrandet. Mutti griff hastig danach.

»Um Gottes willen, wer ist denn jetzt schon wieder gestorben?« rief sie. Dann las sie die gedruckte Trauernachricht und sagte zu Großvater: »Stell dir vor, Klara Schaffgotsch ist tot!«

Großvater skandierte: »Klara lieb und hold, also bist du hin!«

Mutti war empört. »Aber Großvater, sei doch nicht so roh!«

»Moment, Moment!« protestierte Großvater. »Das ist nicht von mir, sondern von unserer schlesischen Nachtigall Friederike Kempner.« Und er zitierte Friederikes ›Nachruf an eine Freundin‹:

>>Klara, lieb und hold,
Also bist du hin.
Bildest eine Rinn',
Drin die Woge rollt.

Woge rollt zum Meer,
Und so rollst du, rollst —
Ob, ob nicht du wollst,
Doch zum Ziele her!«

Großvater kicherte und verstummte, auf die Schelte seiner Schwiegertochter wartend, aber die war allzusehr in den zweiten Brief vertieft, den sie inzwischen geöffnet hatte.

Der Brief mußte sehr interessant sein, denn sonst gab es nach einem Kempner-Zitat immer Streit. Großvater amüsierte sich jedesmal über die unfreiwillige Komik der Dame. Mutti allerdings fand kaum etwas Komisches dabei, und wir Kinder konnten schon gar nicht darüber lachen.

Auf einmal rief Mutti aus: »Mein Gott!«

Großvater erkundigte sich teilnahmsvoll: »Wer ist noch gestorben?«

»Eva«, sagte Mutti, und wir erschraken, denn Eva

war Muttis Schwester, aber sie verbesserte sich rasch: »Sie ist nicht gestorben, sie hat geheiratet.«

Selbst Großvater atmete erleichtert auf und fragte: »Wen?«

»Einen gewissen Herbert Steiner«, antwortete Mutti.

Großvater runzelte die Stirn. »Steiner? Nur so einfach Steiner?«

Mutti nickte. »Er ist Bankier.«

Großvater sagte anerkennend: »Das hört sich schon besser an.«

Mutti las weiter aus dem Brief vor: »Alleiniger Inhaber des Bankhauses Steiner und Co., in der Behrendstraße.«

Großvater lachte dröhnend. »Alleiniger Inhaber mit Co.? Wie macht er das?«

Mutti atmete tief aus. »Er ist Jude.«

Großvater lachte wieder. »Dann schafft er das!«

Mutti sah ihn betroffen an. »Wie findest du das?«

Großvater zuckte mit den Schultern. »Juden sind die besten Ehemänner. Sie lieben fanatisch ihre Familie.«

»Das tun wir doch auch«, schmollte Mutti.

»Aber nicht fanatisch«, schränkte Großvater ein.

»Sie wollen uns besuchen. Für einige Tage«, eröffnete meine Mutter zögernd.

»Nur immer zu!« antwortete Großvater munter.

Einige Tage später erwartete ich mit meiner Mutter und Robi auf dem Bahnsteig von Prausnitz den neuen jüdischen Onkel.

In unserer Schule gab es Judenkinder, aber nicht in meiner Klasse. Robi hatte zwei jüdische Mitschüler, er sagte, sie wären genauso wie die anderen Buben, vielleicht ein bißchen klüger. Die Väter allerdings — Robi hatte bei einem Schulfest beide gesehen — sähen doch etwas fremdartig aus. Klein, mit krummen Beinen.

Ich erwartete also, daß aus dem Zug mit Tante Eva ein kleiner Mann mit krummen Beinen aussteigen würde, und so war ich von dem großen, schlanken und eleganten Herrn, der mit Eva auf uns zukam, mächtig überrascht. Er war der schönste Mann, den ich je gesehen habe.

Während er meiner Mutter die Hand küßte, mußte ich ihn mit offenem Mund angestarrt haben, denn Robi gab mir mit dem Ellenbogen einen Schubs und flüsterte mir zu: »Komm zu dir!«

In der Kutsche war nicht viel Platz. Mein Bruder mußte neben Hannes auf dem Bock sitzen, mein neuer Onkel und ich nahmen auf dem schmalen, hochklappbaren Notsitz Platz. Auf der schlechten Straße hüpfte der Wagen gehörig, es war unvermeidlich, daß unsere Knie hie und da sich berührten. Bei jeder Berührung lief mir ein heißer Schauer über den Rücken, genauso, wie es in den Büchern von Hedwig Courths-Mahler — deren Werke ich alle heimlich verschlungen hatte — geschrieben stand. Sicherlich war ich in meinen neuen Onkel verknallt, ich wußte es nur nicht.

Auf Großvater machte Herbert Steiner einen guten Eindruck. Kaum hatte er sich mit ihm unterhalten, rief er aus: »Sie sind aber kein Preuße!« Onkel Herbert lächelte. »Nein. Ich bin Schlesier. In Carlowitz geboren.«

Großvater umarmte ihn. »Komm, Landsmann, das müssen wir begießen.«

Das taten sie dann auch ausführlich mit Kräuterschnaps, während wir alle in den glatten, kühlen Ledersesseln in der Bibliothek saßen. Wir kamen hierher, weil Onkel Herbert gern die Bücher anschauen wollte. Dann erzählte er, daß er in Berlin eine ganze Bücherwand hätte, vollgestopft mit schlesischen Dichtern und Schriftstellern. Hier habe ich zum erstenmal die Namen Detlev von Liliencron, Richard Dehmel und Arno Holz vernommen. Auch von einem gewissen Klabund aus Crossen, den Onkel Herbert besonders liebte, war die Rede. Von Gustav Freytag und Gerhart Hauptmann hatte ich schon einiges gehört, aber ich hatte noch kein Buch von ihnen gelesen. Von Hauptmann wußte ich sogar, daß er in Obersalzbrunn geboren war und ein Theaterstück über die Weber von Peterswaldau geschrieben hatte.

Als sein Name fiel, brachte ich mein Wissen an den Mann: »Das ist doch der, der über die Weber, die plötzlich nicht mehr arbeiten wollten, ein Stück geschrieben hat.«

Alle lachten, am meisten Robi, was mich natürlich ärgerte. Er war zwei Jahre älter als ich, aber deshalb brauchte er noch lange nicht so überheblich zu sein.

Großvater stand auf und setzte sich an den Flügel, der in der Bibliothek stand, da wir kein separates Musikzimmer hatten. Er spielte einige Takte, dann fragte er: »Was ist das?«

Mutti, die sehr musikalisch war, antwortete schnell: »Es liegt ein Schloß in Österreich.«

Großvater nickte. »Stimmt, aber die Melodie hat bei Hauptmann einen neuen Text.« Und er begann dröhnend das Lied der Weber zu singen:

>»Hier im Ort ist ein Gericht,
> Noch schlimmer als die Fehmen,
> Wo man nicht erst ein Urteil spricht,
> Das Leben schnell zu nehmen.
> Hier wird der Mensch langsam gequält,
> Hier ist die Folterkammer,
> Hier werden Seufzer nicht gezählt
> Als Zeugen von dem Jammer.«

Während der zweiten Strophe hielt Mutti sich die Ohren zu, und als Großvater seinen temperamentvollen Vortrag beendet hatte, mokierte sie sich: »Ich kann das nicht hören. Noch dazu vor den Kindern.«

Robi ritt offenbar der Teufel, denn er stand auf, ging zum Flügel, nahm Großvaters Platz ein, schlug in die Tasten und begann zu grölen:

> »Hier im Ort ist ein Gericht,
> Noch schlimmer als die Fehmen...«

Weiter kam er nicht, denn Mutti stürzte zu ihm, riß ihn vom Flügel weg und schimpfte: »Ich möchte nur wissen, wer dir solche Sachen beibringt!«

»Na, wer wohl?« fragte Großvater, nicht ohne Stolz.

Beim Mittagessen ritt mich dann der Teufel, als Onkel Herbert erst Robi, dann mich nach unseren Zukunftsplänen fragte.

Robi erklärte, er wisse vorläufig nur mit Sicherheit, was er nicht werden möchte: Berufsoffizier.

Mutti war über diese Antwort so erbost, daß sie mich gar nicht zu Wort kommen ließ.

»Was soll sie schon werden?« schnappte sie und

gab sich gleich selbst die Antwort: »Sie wird heiraten.«

Ich stimmte ihr zu: »Ja, aber einen Juden.«

Tableau.

Alle erstarrten, sogar Großvater schaute mich erschrocken an.

Nur Onkel Herbert lächelte. »Und was bringt dich zu diesem Entschluß?«

»Großvater sagte neulich, die Juden seien die besten Ehemänner.«

Allgemeines Aufatmen.

Onkel Herbert nahm sein Glas und prostete Großvater zu: »Danke!«

Rübezahl

Kaum hatte mein Schwarm mit seiner Frau uns verlassen, bekamen wir wieder Besuch.

Diesmal ganz unerwartet.

Ich kam gerade von den Malzahns zurück, als ich das Geräusch eines Automobils hörte, ein Geräusch, das damals bei uns nicht so oft zu hören war.

Ich lief um das Haus zur Vorderseite und sah ein großes, offenes Automobil vor der Eingangstür stehen. Der Chauffeur hupte einmal laut und anhaltend, dann stieg er aus, um den Wagenschlag zu öffnen. Aber er kam zu spät, denn inzwischen kletterte ein kleiner, etwas dicklicher und sehr auffällig angezogener Herr aus dem Fond des Wagens, ging die Stufen hinauf und betätigte die Klingel und den Türklopfer gleichzeitig. Es dauerte eine Weile, bis Martin mit konsterniertem Gesicht öffnete.

»I am Mister Harris«, hörte ich den Herrn sagen, dann hörte ich nichts mehr, denn der Herr, der sich Mister Harris nannte, schob Martin beiseite und stürmte ins Haus. Martin starrte ihm mit offenem Mund nach, dann verschwand er ebenfalls.

Ich schlenderte zu dem großen Wagen und blieb neugierig daneben stehen. Der Chauffeur holte eine Tabakdose und Zigarettenpapier aus der Tasche und begann sich eine Zigarette zu drehen.

»Ich hoffe, ich bin richtig hier«, sagte er, nachdem er das Zigarettenpapier mit der Zunge befeuchtet hatte. »Ist das das Schloß Preewitz?«

Ich bejahte und fragte zurück: »Wer ist Ihr Herr?«

»Ein verrückter Amerikaner. Er spricht kein Wort Deutsch«, antwortete der Chauffeur. »Außerdem ist er nicht mein Herr. Er hat den Wagen in Breslau gemietet.«

Ich bedankte mich artig und ging ins Haus.

Der Amerikaner schien wirklich verrückt zu sein. Er führte in der Halle vor Mutti und Großvater, die erstaunt dreinschauten, Bocksprünge aus, preßte seine beiden Daumen gegen seine Schläfen, spreizte die Finger, wahrscheinlich um Hörner anzudeuten. Dann besann er sich, klopfte gegen die Stirn, als ob er etwas vergessen hätte, holte schließlich einen Brief aus seiner karierten Jacke und überreichte ihn dem sprachlosen Großvater.

Während Großvater den Brief las, stieg in mir langsam eine Art Triumphgefühl auf: Jetzt würde ich die Qual der zwei Jahre, die ich unter unserer englischen Gouvernante erlitten hatte, endlich nutzvoll verwerten können. Mutti und Großvater sprachen zwar ausgezeichnet französisch, aber kein Wort Englisch. So sah ich also meine Stunde gekommen. Ich trat zu dem ulkigen Mann.

»How do you do, Sir?«

»Well, my Baby, well«, schrie er, packte mich, hob mich hoch und küßte mich auf beide Wangen.

Großvater brachte mit Mühe ein »Willkomm', Mister Harris« hervor, gab dem Amerikaner die Hand, dann berichtete er meiner Mutter vom Inhalt des Briefes. »Der Brief ist von Philipp. Er ist ein Freund von Mister Harris, und Mister Harris ist ein leidenschaftlicher Sammler. Philipp hat ihm von Rübezahl erzählt, und Mister Harris möchte Rübezahl kaufen.« Hier machte Großvater eine Kunstpause, dann verriet er, jede Silbe betonend: »Für dreitausend Dollar.«

Meine Mutter fiel fast in Ohnmacht und vergaß ihre Contenance. Aufgeregt wiederholte sie: »Dreitausend Dollar!«

Mister Harris bestätigte: »Yes. Threethousand Dollar.« Er griff auch gleich in die Jackentasche, holte einen offenen Briefumschlag hervor, ließ daraus die Dollarscheine aufblitzen und hielt dann den Umschlag Großvater hin.

Großvater wunderte sich: »Sie wollen ihn nicht einmal sehen?«

Der Amerikaner verstand ihn nicht. Er wandte sich mit einem fragenden Blick an mich.

»Granddaddy asks, if you don't want to see it?«

Doch, doch, er wolle ihn sehen, versicherte Mister Harris, und wir machten uns auf den Weg ins Jagdzimmer.

Ich ahnte natürlich damals nicht, welchen ungeheuren Wert in der Inflationszeit die dreitausend Dollar bedeuteten, aber seit dem Erlebnis mit dem Tierarzt klangen mir Großvaters Worte über den lebenserhaltenden Dollar immer noch in den Ohren.

›Rübezahl‹ hieß ein Hirschgeweih, ein Vierunddreißigender, dereinst ein Prachthirsch, der wegen seines Bartes, aber auch wegen seiner unheimlichen Größe nach dem legendären Herrn des Riesengebirges benannt worden war. Er war das Prunkstück des Gastzimmers, die männlichen Besucher blieben alle ehrfurchtsvoll vor ihm stehen und bewunderten seine Schönheit — aber dreitausend Dollar sind heutzutage noch schöner, werden Mutti und Großvater gedacht haben.

Mister Harris betrachtete das mächtige Geweih eher ängstlich als begeistert und drückte Großvater den wertvollen Umschlag endgültig in die Hand.

Mitnehmen wollte er die Trophäe nicht. Er müsse

noch zwei Wochen in der Gegend herumfahren, dann käme er zurück und hole das Ding — übersetzte ich.

Aber Mister Harris kam in zwei Wochen nicht, auch nicht in zwei Monaten. Ich hörte, wie Großvater zu meiner Mutter sagte:

»Ich sage dir, das war ein Trick von Philipp. Er wollte uns Geld zuschanzen. Hintenrum.« Großvater machte eine Pause, dann fragte er sich: »Wenn ich bloß wüßte, woher er das Geld nimmt?«

Meine Mutter schwieg, aber ich glaube, sie hatte Tränen in den Augen.

Das kaiserliche Etui

Unser nächster Nachbar, etwa eine halbe Stunde Kutschfahrt entfernt, war Graf H. Er hatte einen sehr langen Doppelnamen, aber Großvater nannte ihn immer nur »der H.«, was sicher nicht auf Hochschätzung hindeutete. Die beiden konnten einander nicht ausstehen. Die genauere Ursache dafür hatte ich nie ganz ermittelt, obwohl ich bei meinen üblichen Informationsquellen, Martin, Hannes und Lieschen, des öfteren danach fragte. Von Hannes erfuhr ich immerhin, der Kutscher von H. hätte einmal gehört, daß H. unseren Großvater als Sozi beschimpfte: »Er hat den Löbe zu sich eingeladen und den Gerhart Hauptmann, der ein Sprachrohr der Sozis ist, in Hiddensee besucht.«

Wie sich Großvater über H. äußerte, habe ich selber gehört: »Der H. ist rückständig wie ein verrostetes Kanonenrohr, aus dem man nur noch einen Rohrkrepierer abfeuern kann.«

So richtig verfeindet waren wir mit der Familie H. natürlich nicht, wir verkehrten nur nicht regelmäßig miteinander, sahen uns lediglich bei besonderen Anlässen, wie zum Beispiel an Geburtstagen.

Die H.'s hatten eine Tochter. Sie hieß Selma und war so alt wie ich. Sie ging aber nicht zur Schule, dazu war die Familie zu vornehm. Selma wurde von ihrer Gouvernante und von einem jungen Hauslehrer unterrichtet.

Ich mochte Selma eigentlich ganz gern. Sie war ein scheues, zurückhaltendes Mädchen, alles andere als hochnäsig wie die übrigen Familienmitglieder. Wir luden uns gegenseitig zum Geburtstag ein, sie kam sehr gern zu mir, wie sie mir des öfteren versicherte, und ich ging auch sehr gern zu ihr, da ich ein Leckermaul war und Graf H. einen Koch hatte, der für seine Patisserie in ganz Schlesien berühmt war. Dieser Ausnahmekoch, der auch noch Adalbert Bäcker hieß, hatte vor dem Krieg jahrelang in Paris im vornehmen ›Maxim‹ gelernt und gearbeitet.

Großvater mokierte sich manchmal darüber: »Ganz Schlesien hat Köchinnen. Schlesische, böhmische, ungarische. Aber nicht der H. Der H. muß einen Koch haben.«

Ich hingegen schwärmte für Adalberts Backkünste. Er machte die himmlischsten Nuß- und Mandelschnitten nach einem Geheimrezept, das niemand kannte. Wenigstens in ganz Schlesien nicht. Zugegeben, unsere dicke Walburga — Großvater nannte sie Wablinga, weil sie so fett war — buk auch ganz gute Mohn- oder Käsekuchen, mit Streuseln belegt, aber mit Adalberts Backkunst konnte sie nicht konkurrieren.

Einmal bekam ich einen Tag vor Selmas Geburtstag Fieber und mußte das Bett hüten. Die Eltern waren zum Geburtstag der größeren Kinder in der Regel nicht eingeladen, und so ließ sich Robert allein zu H.'s kutschieren.

Bevor er ging, tröstete er mich: »Ich bring dir etwas von den Nußschnitten mit.«

»Und von den Mandelschnitten auch«, bettelte ich, in Tränen aufgelöst. Ich war wirklich traurig, daß ich nicht mitgehen durfte.

»Mandelschnitten auch«, beruhigte mich Robi, »und wenn ich sie klauen muß!«

Es dauerte keine zwei Stunden, da kam Robert schon wieder von Selmas Geburtstagsfest zurück. Er suchte mich in meinem Zimmer auf, fischte die versprochenen Nuß- und Mandelschnitten aus seinen Jackentaschen und warf sie auf den Nachttisch.

»Hier hast du das Zeug!« brummte er verbiestert. »Wenn du wüßtest, was ich wegen deiner Scheißkuchen alles durchmachen mußte!«

Es lief eigentlich alles ganz normal, erzählte Robi, wie solche Geburtstagsfeste sich eben abzuspielen pflegten. Zuerst steife Begrüßungen, dann gab es Schokolade und Tee und jede Menge Köstlichkeiten aus Adalberts Backstube. Nach dem sparsam verabreichten süßen Likör lockerte sich die Stimmung, es wurde musiziert und getanzt. »Die Hopserei«, wie Robert das Tanzen bezeichnete, nutzte er dazu, seine Jackentaschen, die er schon zu Hause mit zwei Bogen Papier präpariert hatte, mit den Schnitten vollzustopfen. Links Nuß, rechts Mandel.

Er war schon dabei, sich zu verabschieden, als plötzlich etwas passierte, was ihn daran hinderte, die Gesellschaft zu verlassen. Graf H. bat mit lauter Stimme alle Gäste in der Halle, wo die Tanzerei stattfand, zu bleiben und ihn anzuhören. Dann verkündete er, das goldene Zigarettenetui, das ihm einst Seine Majestät Kaiser Wilhelm geschenkt hatte, sei verschwunden. Vor einer Stunde habe es noch im Arbeitszimmer auf dem Schreibtisch gelegen, jetzt aber sei es nicht mehr dort. Er, Graf H., sei überzeugt, daß sich eines von den Kindern einen dummen Scherz erlauben wollte, deshalb fordere er den Betreffenden auf, das Etui herauszugeben.

Niemand rührte sich.

Als die zweite Aufforderung auch nichts fruchtete, erklärte der Graf, er würde für eine Minute alle

Lampen ausschalten lassen. Derjenige, der das Etui an sich genommen habe, könne es in der Dunkelheit irgendwo hinlegen.

Die Lichter gingen aus, nach einer Minute Dunkelheit und Totenstille gingen sie wieder an — aber keine Spur von dem goldenen Etui.

Nun wurde der Graf »massiv«, wie er sein Vorgehen selber bezeichnete.

»So leid es mir tut — unter diesen Umständen muß ich jeden von euch einer Leibesvisitation unterziehen. Diese beschämende Tätigkeit will ich nicht den Domestiken überlassen; die Jungen durchsuche ich, die Mädchen meine Frau. Ihr stellt euch jetzt in zwei Reihen auf, links die Mädchen, rechts die Jungen.«

Die erschrockenen Kinder folgten der Aufforderung, nur Robert nicht. Nicht wegen des Etuis — das hatte er nicht einmal gesehen —, aber er konnte sich doch nicht als Kuchendieb entlarven lassen! Eine Sekunde stand er unschlüssig da, dann drehte er sich abrupt um und ging auf die Tür zu.

Graf H. hielt ihn zurück.

»Halt! Wo willst du hin, Robert?«

Robert blieb stehen.

»Nach Hause. Ich habe Ihr Etui nicht, Graf H., aber ich lasse mich auch nicht durchsuchen. Mein Wort muß Ihnen genügen.«

Damit marschierte er weiter auf die Tür zu. Im Hinausgehen hörte er Graf H. noch schimpfen: »So eine Frechheit!« Er wandte sich an seine Frau: »Was sagst du dazu, Eleonore? Der Preewitz Junior ist ein Dieb!«

Ich war so erschüttert, daß ich zu heulen begann. »Mein Gott, Robi!« Das war alles, was ich sagen konnte.

Der standhafte Held warf sich auf mein Bett und begann ebenfalls zu heulen.

Fünf Minuten später betrat meine vor Aufregung flatternde Mutter mit Großvater das Zimmer.

»Der H. hat mich gerade angerufen«, sagte Großvater. »Was ist geschehen, Robi?«

Robert zeigte wortlos auf die Nuß- und Mandelschnitten, und ich erklärte unter Tränen: »Er hat mir das mitgebracht. Ich habe ihn darum gebeten.«

Jetzt wurde auch Robi munter.

»Das Zeug steckte in meinen Taschen. Links und rechts. Ich konnte mich doch nicht durchsuchen lassen.

»Natürlich nicht!« brummte Großvater. Er schwieg eine Weile, dann rief er aus: »So ein Schwein!«

Robi fuhr beleidigt auf: »Aber Großvater...«

Großvater unterbrach ihn: »Ich meine doch nicht dich!« Damit stampfte er aus dem Zimmer.

Und Mutti befahl: »Robert, du gehst auf dein Zimmer und verläßt es bis auf weiteres nicht!«

Dann gingen sie beide, und ich blieb allein mit Adalberts Meisterwerken, die ich langsam, eins nach dem anderen, aufaß. Aber diesmal schmeckten sie mir nur halb so gut wie sonst.

Als Martin dann mein Abendessen brachte, hatte ich natürlich keinen Appetit mehr. Immerhin bekam ich aus Martin heraus, daß er im Auftrag von Großvater mit dem Grafen H. telefoniert hatte. Großvater wollte den Grafen morgen vormittag um elf Uhr aufsuchen.

»Und ihm gehörig Bescheid stoßen!« fügte Martin noch hinzu.

Aber es kam ganz anders.

Die Familie saß um acht Uhr früh, wie immer, um den Frühstückstisch. Ich auch, da Mutti mir erlaubt hatte, für eine Stunde aufzustehen. Wir hörten, wie ein Wagen vorfuhr, und schon nach wenigen Augenblicken kam Martin aufgebracht herein und meldete, Empörung in der Stimme, Graf H. sei vorgefahren und begehre Einlaß.

»Der Herr Graf hat ein Gewehr bei sich!«

Das beeindruckte sogar Großvater.

»Ein Gewehr?« fragte er mit gerunzelter Stirn. »Führen Sie ihn in die Bibliothek.«

Martin kam nicht mehr dazu, den Auftrag auszuführen, denn Graf H. stürmte schon herein. Er trug tatsächlich ein Gewehr bei sich.

»Ich bitte untertänigst um Entschuldigung wegen der Inkommodation, aber ich mußte herkommen, um Buße zu tun. Kaiser Wilhelms Etui hat sich gefunden. Die Mathilda, die Tochter des Pächters Opalki, die bei uns manchmal aushilft, hat das goldene Stück auf dem Schreibtisch gesehen, und mißtrauisch, wie sie Gästen gegenüber nun mal ist, hat sie es in die Schublade unter die dort herumliegenden Akten gesteckt. Das dämliche Luder hat kein Wort zu uns gesagt, und als ich das kaiserliche Geschenk vermißte, war sie nicht mehr da. Erst heute früh hat sie von der Geschichte erfahren und uns gesagt, wo des Kaisers Etui liegt.«

Er machte eine Atempause. Wir schwiegen ebenfalls.

»Ich halte es für meine Pflicht«, erklärte der Graf, »mich bei allen Kindern, die anwesend waren, und auch bei ihren Eltern höchstpersönlich zu entschuldigen.«

Großvater lachte.

»Dann hast du heute den ganzen Tag zu tun. Hoffentlich halten das deine Pferde aus.«

66

Die Augen des Grafen blitzten.

»Meine Pferde schon. Die sind immerhin die besten in hundert Kilometer Umkreis.«

Großvater ging nicht auf die Provokation ein, sondern deutete auf das Luftgewehr.

»Und wen willst du damit erschießen?«

»Niemanden«, antwortete Graf H. »Ich wollte es, mit deiner Erlaubnis, Robert schenken. Er hat meine vollste Hochachtung. Er hat sich prachtvoll gehalten.«

»Er ist eben ein Preewitz«, brummte Großvater und verschwieg taktvollerweise die Nuß- und Mandelschnitten.

»Na ja«, sagte der Graf gedehnt, dann fügte er anzüglich hinzu: »Hoffentlich wird er nicht durch neumodische Ideen verdorben.«

»Bestimmt nicht!« beeilte sich meine Mutter zu versichern. Es war ihr wohl schwergefallen, so lange zu schweigen.

Großvater schmunzelte nur.

Robert bedankte sich höflich für das Gewehr. Der Graf trank noch einen Kräuterschnaps im Stehen, und als er fort war, wandte sich Großvater an Robi: »Kuchen sollte man auch nicht klauen. Du siehst, was dabei herauskommt!«

»Ein Luftgewehr«, meinte Robi trocken.

Eine Brautentführung

Eines Abends fand ich Lieschen neben meinem Bett liegend.

Sie weinte herzzerreißend, schlug dabei mit der Faust mehrmals auf den Boden und rief: »Dieser Schuft, dieser Schuft!«

Als ich sie ansprach, setzte sie sich auf.

»Entschuldige, Hetti«, stammelte sie und schluchzte weiter, aber sie rappelte sich auf und setzte sich auf das Bett. Ich setzte mich zu ihr und legte meinen Arm geradezu mütterlich auf ihre Schulter.

»Was ist geschehen, Lieschen?«

Lieschen wehrte ab. »Das verstehts du noch nicht, Hetti.«

»Aber klar verstehe ich das«, erklärte ich ihr. »Sicher ist mit Hannes was los.«

Der Name brachte Lieschen wieder in Rage. »Dieser Halunke, dieser elendigliche Halunke!« Dann warf sie sich auf das Bett und rief nach ihrer Mutter: »O Mammuschka, Mammuschka!«

Mammuschka wird dir nicht helfen können, dachte ich, denn ich ahnte wohl, was da los war. Ich hatte gehört, daß Lieschen mit Hannes »ging«, wenn ich auch die genaue Bedeutung des Wortes nur erahnen konnte. Ich sah die beiden oft Händchen haltend in der Küche sitzen, während Hannes mit der freien Hand seine Erbsensuppe löffelte, und ich sah, wie sie sich hinter dem dicken Stamm einer Eiche rasch umarmten und küßten. Unsere ungarische Köchin stand neben mir und lächelte. »Jo, jo, die Liebä!«

Ich erwischte die zwei sogar im Stall, als sie mit verlegenen Gesichtern vom Heuboden herunterkletterten, aber was sie da oben getrieben hatten, das konnte ich mir nicht vorstellen. Einmal sah ich allerdings auch, wie Hannes ihr eine Maulschelle versetzte. Über diese Handgreiflichkeit wunderte ich mich sehr. Sollte das auch zur »Liebä« gehören?

Lieschen weinte weiter.

Ich holte aus der Kommode ein feines Batisttaschentuch, das nach Lavendel duftete. Tante Eva hatte mir einmal ein halbes Dutzend geschenkt. Eines davon gab ich nun Lieschen.

»Hier. Es gehört dir. Aber jetzt heul nicht mehr.«

Trotz ihres Schmerzes war Lieschen in der Lage, das hauchdünne Tüchlein zu bewundern. Sie roch daran und wollte damit ihre Tränen abwischen, doch dann hielt sie in der Bewegung inne.

»Dazu wäre das Tuch zu schade«, sagte sie und

trocknete rasch ihre Tränen mit dem Zipfel ihrer Schürze ab.

»Hat der Hannes dich verprügelt?« fragte ich.

Lieschen seufzte. »Oh, wenn es nur das wäre!« Dann brach es aus ihr heraus: »Er hat sich in die Genoveva verknallt. Und sie in ihn.«

»Die Genoveva Tschescherich? Die heiratet doch bald.«

»Das stört den Halunken nicht!« rief Lieschen aus.

Ich versuchte die Arme zu trösten: »Du irrst dich bestimmt. Der Hochzeitstag ist sogar schon festgelegt. Der Tschescherich war hier und hat Großvater und Mutti eingeladen. Robi und ich dürfen auch mit.«

Lieschen konnte nichts mehr darauf erwidern, denn im Eßzimmer bimmelte Mutti energisch mit der Tischglocke.

Lieschen sprang auf, und nach einem ängstlichen »Sie sucht mich« lief sie aus dem Zimmer.

Genoveva war die Tochter des reichen Mühlenbesitzers Tschescherich. Ihre Mutter lebte nicht mehr, und sie wurde von ihrem Vater verhätschelt und ängstlich behütet. Die Tschescherichs waren eifrige Kirchgänger, und der Müller hatte oft und viel für die Kirche gespendet.

»Er tut viel mehr für die Kirche als Sie, Herr

Baron«, hörte ich einmal Hochwürden Mazurek zu Großvater sagen, und Großvater hatte erwidert: »Er benützt sie auch öfter.«

Die Tschescherichs hatten ihre Kirchenbank in der ersten Reihe, gleich neben uns, wenn auch auf der anderen Seite, nur durch den Mittelgang von uns getrennt.

Hier sah ich manchmal Genoveva, die wirklich sehr hübsch war. Ihr Verlobter war es weniger. Sie war mit dem Labander verlobt. Er hieß eigentlich Josef Smolka, aber man nannte ihn nur »Paulek, der Labander«, wie die Schlesier lang geratene Menschen zu bezeichnen pflegten. Paulek war schlaksig und sehr lang, ein Meter zweiundneunzig; unter seinen Kleidern vermutete man nur Knochen. In Badehose am Weiher hatte ihn noch niemand gesehen, er war ja nicht aus unserem Dorf, sondern aus Breslau. Er war Referendar bei seinem Vater, einem Rechtsanwalt, der in einer hübschen Villa in Carlowitz wohnte, dem Vorstand mehrerer Kirchen angehörte und sogar mit einem Bischof, wenn auch nur mit einem polnischen, verwandt war.

Der Anwalt Smolka hatte einmal den Mühlenbesitzer in einem Prozeß vertreten, den er ganz groß gewann. Seitdem waren die beiden Väter befreundet, sie besuchten sich gegenseitig. Daß sich Paulek bei diesen Gelegenheiten in Genoveva verliebte, glaubte ich ohne weiteres. Aber sie? In diesen Labander?

Immerhin — sie waren verlobt. Der lange Lulatsch hatte einen Haupttreffer gemacht, denn Genoveva war reich und schön. Bei ihr hatte Vater Tschescherich sicher ein Machtwort sprechen müssen. Er tat es, weil er nach Höherem strebte. Ein zukünftiger Anwalt als Schwiegersohn, das war doch etwas.

Ein viel größeres Rätsel für mich war: Wann und wo hatte sich Hannes in die Genoveva verlieben können? Gewiß, der Bräutigam kam nur an den Wochenenden in die Mühle, aber der hochnäsige Tschescherich hätte kaum den Stallburschen Hannes in die Nähe von Genoveva gelassen. Vielleicht hatte der freche Bursche Genoveva das eine oder andere Mal auf dem Tanzboden zum Tanzen aufgefordert, aber mehr konnte es nicht gewesen sein.

Genoveva sah bildschön aus an ihrem Hochzeitstag. Das war nicht so leicht, denn die Mädchen durften nicht viel von ihren Reizen zeigen. Die Röcke gingen bis zum Boden, das Oberteil reichte bis zum Hals, wenn nicht bis zum Kinn. Die Schönheit eines Kleides zeigte sich im Material.

und Genovevas Kleid war ganz aus schwerer Seide. Sogar Mutti war begeistert davon. Ihre Zöpfe trug die Braut zu einem »Nest« geschlungen, ihre Füße zierten Lackschuhe, die nur dann hervorblitzten, als sie Stufen hochging.

Auch wir Kinder waren aufgeputzt. Ich weiß nicht mehr, was ich anhatte, aber sicher mein hübschestes Kleid, und Robert stolzierte in seinen ersten langen Hosen umher. Er saß im Landauer auf dem Bock neben Hannes, der leichenblaß, mit verkniffenem Gesicht kutschierte.

Ich beobachtete ihn neugierig, und ich sah deutlich, daß er anders war als sonst. Verbissen, schweigsam, nur hie und da ein aufmunterndes Wort für die Pferde.

Im großen Hof des Müllers schien das ganze Dorf versammelt zu sein, die Frauen farbenprächtig, in roten, grünen oder rosa Kleidern, die Männer in grünen oder grauen Trachtenanzügen.

Als wir in den Hof rollten, scheuten die Pferde, denn just in diesem Augenblick begann die Musik mit ihrem Tschingdarassabum. Hannes drückte Robi die Zügel in die Hand und sprang vom Bock, um uns aus dem Wagen zu helfen. Dann fragte er Großvater, ob er mit den Pferden zur Tränke hinter dem Haus gehen dürfe.

»Das mußt du sogar«, sagte Großvater und reichte

dem Müller die Hand, der in einem etwas zu engen Gehrock auf uns zueilte, um uns mit überschwenglicher Freude zu begrüßen.

Die hübsche Braut stand auf der untersten Treppenstufe, winkte allen zu, dann ging sie die Stufen hoch und zog sich, wie es der Brauch verlangte, vor Eintreffen des Bräutigams ins Haus zurück.

Der Bräutigam kam auch bald, zusammen mit dem Brautwerber, der einen Strauß weiße Rosen in der Hand hielt. Ich kannte ihn nicht, es war sicher einer aus Breslau. Er trug einen gut sitzenden Frack, der »Labander« ebenfalls, der erstaunlich manierlich aussah, in Frack und Zylinder und mit weißen Handschuhen.

Tschescherich empfing die beiden mit Salz, Butter und je einem Glas Korn, wie die traditionelle Zeremonie es verlangte. Dann ging der Brautwerber mit dem Vater ins Haus, der glückliche Bräutigam hatte draußen zu warten.

Er mußte lange warten und wurde schon unruhig, trat von einem Fuß auf den anderen. Auch die Gäste wurden von Unruhe erfaßt. Ein ungeduldiges, aufgeregtes Gemurmel kam auf, bis endlich der Brautvater erschien und verkündete:

»Freunde, ich bitte euch um Nachsicht! Genoveva ist unpäßlich, die Aufregung war wohl zuviel für sie. Ich bitte euch — geht nach Hause!«

Aufgeregt, mit wehenden Frackschößen, stürzte der »Labander« die Stufen hoch, während sich die Gästeschar aufzulösen begann.

Dr. Kanturek, unser Hausarzt, sagte zu Großvater: »Unpäßlich? Wieso ruft mich der Tschescherich nicht? Er weiß doch, daß ich hier bin.«

Großvater zuckte mit den Schultern. »Vielleicht mag er auch keine Ärzte.«

Dr. Kanturek war nicht beleidigt, er kannte Großvaters derbe Scherze.

Und Großvater setzte auch gleich wieder eins drauf: »Gehen Sie doch hinein, Doktor. Als Arzt würde ich es dem lieben Gott sehr übelnehmen, wenn ein Patient ohne meine Hilfe abkratzt.«

Der Arzt lachte und ging auf das Haus zu.

Großvater rief ihm nach: »Morgen um acht erwarte ich Sie zum Schach.« Dann wandte er sich zu uns: »Und wir fahren gemütlich nach Hause.«

Aber daraus wurde nichts.

Bei der Tränke fanden wir den Landauer nicht, und von Hannes war auch nichts zu sehen. Nur der bucklige Karlik Kulik, der Dorftrottel, lungerte herum und bekam glänzende Augen, als er Großvater erblickte. Die beiden waren gute Freunde — Großvater pflegte ihm regelmäßig Geld und Zigaretten zu schenken und ihn außerdem in philosophische Gespräche zu verwickeln.

»Hast du den Hannes gesehen?«

Karlik nickte.

»Und unseren Wagen auch?«

Karlik nickte erneut.

»Wo ist er hin?«

»Weg«, antwortete der Bucklige.

»Wohin?«

Keine Antwort.

Jetzt mischte ich mich ein, da ich die einzige war, die von Lieschen über ihre Probleme mit Hannes einigermaßen informiert war. Mir war ein bestimmter Verdacht gekommen.

»Ist er allein weg?«

Karlik grinste, schüttelte den Kopf und deutete auf den Hintereingang des Tschescherich'schen Hauses. »Mit der Braut.«

Mutti konnte ihr übliches »Mein Gott!« nicht unterdrücken, aber Großvater erfaßte gleich die Situation und schaute mich streng an.

»Woher wußtest du das?«

Ich protestierte: »Also das wußte ich nicht. Aber Lieschen hat mir vor ein paar Tagen etwas gesagt.«

Karlik bekam ein Geldstück und Zigaretten, und Großvater brummte: »Jetzt müssen wir sehen, wie wir nach Hause kommen.«

Mutti brauste auf: »Der Tschescherich muß uns einen Wagen geben!«

»Er muß nicht«, meinte Großvater, »aber vielleicht tut er das.«

Großvater nahm uns nicht mit ins Haus, aber nachher, als Tschescherichs Kutscher uns nach Hause fuhr, erzählte er, daß er Brautvater und Bräutigam völlig gebrochen vorgefunden habe. Die Braut sei spurlos verschwunden, niemand wisse, wohin.

»Sie muß das Haus durch den Hintereingang verlassen haben«, stöhnte der ratlose Mühlenbesitzer.

»Das tat sie«, klärte Großvater ihn auf. »Der Karlik hat sie gesehen«.

Und Großvater erzählte, daß Hannes mit unserem Landauer ebenfalls verschwunden sei.

»Das mußte ich tun«, sagte Großvater bedauernd zu uns, »sonst würden wir jetzt nicht in dieser Kutsche sitzen.«

Lieschen, die in einer Fensternische stand und auf die Heimkehr von Hannes wartete, sah die fremde Kutsche vorfahren und uns aussteigen. Sie öffnete vor Angst schlotternd die Tür.

»Ist dem Hannes etwas zugestoßen?«

»Noch nicht«, brummte Großvater, »aber es wird, wenn die Gendarmen ihn erwischen.« Damit stampfte er weiter, Mutti und Robert folgten ihm.

Lieschen klammerte sich an mich, ihre einzige Vertraute. Ich erzählte ihr, was sich bei der Hochzeit, die keine war, abgespielt hatte.

Lieschen lief laut weinend davon.

Etwa zwei Stunden später wurde der Landauer von zwei Gendarmen gebracht. Er hatte in Prausnitz am Bahnhof gestanden, die Pferde waren ordentlich mit zwei Eimern Wasser versorgt. Auf dem Rücksitz lag ein Brief, adressiert an Großvater. Mit ungelenker Schrift bat Hannes um Verzeihung.

Am nächsten Morgen kam Lieschen nicht zum Dienst.

Mutti schickte mich zu Malzahns, mit der ironischen Bemerkung: »Schau mal nach, wo deine Freundin steckt!«

Mutter Malzahn war in der Küche und wunderte sich. »Sie ist fortgegangen. Um sechs Uhr in der Früh, wie immer.«

»Und wo ist Onkel Franzek?« fragte ich.

»Bei den Bienen oder im Stall.«

In diesem Augenblick wurde die Tür von Onkel Franzek aufgestoßen. In den Armen trug er den leblosen Körper seiner Tochter.

Martha Malzahn schrie: »Um Himmels willen, Franzek, was ist geschehen?«

»Ich hab sie gerade abgeschnitten. Im Stall«, sagte er, und dicke Tränen flossen über sein von Sonne und Wind gegerbtes Gesicht.

Dann trug er Lieschen in ihre Kammer und legte sie aufs Bett.

Ich stand wie vom Donner gerührt da; es dauerte eine Weile, bis ich begriff, daß Lieschen sich erhängt hatte.

Onkel Franzek kam auf mich zu: »Bitte, Hetti, bitte den Großvater, er möchte die Gendarmen anrufen.«

»Warum nicht den Doktor?« schrie Martha verzweifelt.

»Da nützen sämtliche Ärzte der Welt nichts mehr«, antwortete Onkel Franzek. Dann bewegte er sich auf die Tür zu: »Ich muß jetzt die Pferde einspannen.«

Wegen Lieschens Beerdigung gab es große Schwierigkeiten. Hochwürden Mazurek wollte die Selbstmörderin nicht innerhalb der Friedhofsmauern begraben lassen. Auch als Großvater sich einmischte, blieb der Geistliche hart.

Dann hatte Großvater einen Einfall. Das arme Lieschen wurde außerhalb der Kirchhofsmauer beerdigt, und über Nacht wurde die Mauer einige Meter versetzt: Lieschen lag nun, wie es sich gehörte, im Friedhof.

Kurz darauf erhielt unsere Kirche eine große, melodisch klingende Glocke.

Bei dem Begräbnis hörte ich, wie Dr. Kanturek zu jemandem leise sagte:

»Da liegen eigentlich zwei begraben. Mutter und Kind.«

Ostern ging vorbei, Pfingsten.

Die kleinen Kinder marschierten mit Blumenstöcken in der Hand durch die Dorfstraßen und begrüßten den Sommer mit ihren hellen Stimmen, wie es Brauch war:

> Summer, Summer, Summer
> Ich bin a kleener Pummer ...

Ihre Stimmen schienen nicht so fröhlich zu klingen wie sonst.

»Die Liebenden sind in Italien«

Durch Lieschens Tod veränderte sich unser Haushalt grundlegend. Es begann damit, daß Marika Botos, die Köchin aus Ungarn, kündigte. Ich würde sagen, aus heiterem Himmel, wenn der Anlaß nicht so traurig gewesen wäre.

Mir war schon bei Lieschens Begräbnis aufgefallen, daß Marika so laut und ausdauernd schluchzte, als ob man ihre eigene Tochter beerdigen würde. Nachher gestand sie, daß sie über sich selbst geweint hatte. Gewiß, Lieschen tat ihr sehr leid, sie mochte ja das Mädchen, aber ihr war voller Schrecken eingefallen, daß auch sie plötzlich sterben könnte und dann hier, in dieser unfreundlichen, fremden Erde, begraben werden müßte. Sie ertrug den Gedanken nicht und kündigte. Sie wollte zurück nach Ungarn.

»Ich habe mir ein wunderschönes Plätzchen auf unserem Friedhof ausgesucht, unter einer Trauerweide. Dort will ich beerdigt werden.«

Muttis Überredungsversuche waren vergeblich. Marika Botos reiste ab.

Großvater war nicht traurig darüber. Er habe von den vielen Paprikahendln sowieso schon genug, gestand er mir. Schlesische Kost war ihm lieber, und so fuhr er kurzentschlossen nach Trebnitz, um Hedwiga Kandziota zu holen.

Die Hedwiga war ein nicht mehr junges, aber sehr kraftvolles Weibsstück. Sie war schon vor vielen Jahren Köchin bei Großvater gewesen, avancierte nach der Heirat des jungen Barons zur Wirtschafterin und wurde nach Potsdam mitgenommen. Dort erlebte sie, wie Robi und ich auf die Welt kamen, aber auch die »dumme Geschichte« unseres Vaters, deretwegen er nach Amerika mußte.

Mutti hatte damals nicht nach Ungarn zurückgehen wollen, denn dort trieb der Klatsch noch üppigere Blüten als in Potsdam. Sie hatte sich mit uns Kindern bei Großvater verkrochen. Hedwiga war natürlich mitgekommen, aber da war der Krieg ausgebrochen, ihre beiden Söhne wurden eingezogen, und sie mußte zurück nach Trebnitz, um ihren kleinen Bauernhof zu bewirtschaften. Die Söhne hatten glücklicherweise den Krieg überlebt, und Großvater gelang es nun, Hedwiga wieder auf Schloß Preewitz zu holen.

Martha und Franzek Malzahn waren nach dem Tod ihrer Tochter noch schweigsamer geworden als vorher. Onkel Franzek verbiß sich so in seine Arbeit, daß ich ihn kaum zu Gesicht bekam. Martha wiederum ließ mich in der Küche sitzen, sprach kein Wort zu mir, und meine Fragen beantwortete sie nur mit einem unverständlichen Brummen. Liwanzen buk sie auch nicht mehr, sondern nur noch Plazek, einen ganz ordinären Puffer aus Mehl.

Ich ging nicht mehr gern hin, und meine Besuche bei den Malzahns wurden immer seltener. Manchmal allerdings bekam ich Gewissensbisse, dann besuchte ich sie rasch und brachte ihnen irgendwelche Geschenke mit. Einmal plünderte ich Großvaters Tabakdose, aber Franzek lehnte den wohlriechenden Tabak ab. Er stopfte in seine Pfeife lieber den stark gebeizten, gepreßten Tabak, den Pressurka.

Von den Flüchtlingen fehlte jede Spur. Mal meldeten sich Leute bei der Gendarmerie, die sie in Liegnitz gesehen haben wollten, mal welche aus Ratibor oder Beuthen, aber immer war es blinder Alarm.

Auf die erste echte Spur stieß Martin, doch er behielt sein Wissen wochenlang für sich. Er liebte Hannes, der ein Waisenkind war, wie einen Sohn und gönnte ihm sein Glück. Nur unter dem Siegel der Verschwiegenheit verriet er mir sein Geheimnis, als wir eines Sonntags im Akazienwäldchen saßen.

»Die Liebenden sind in Italien«, eröffnete er mir, ganz im Stile der Courths-Mahler. Dann zeigte er mir einen Brief seines Bruders Maximilian, der in Meran im Dienste der Familie Auersperg stand; von diesem Bruder hatte Martin Hannes oft erzählt. Nachdem es den Ausreißern gelungen war, über die grüne Grenze nach Österreich zu entkommen, waren sie eines Tages bei Maximilian in Meran aufgetaucht, von wo sie nach Italien weiterreisen wollten. Reisepässe besaßen beide nicht, aber Maximilian wußte aus den Briefen seines Bruders über sie Bescheid. Sie waren für ihn keine Verbrecher, sondern unglücklich Liebende, und so besorgte er mit Hilfe seines Herrn, der mit dem Bezirkshauptmann befreundet war, einen Passierschein nach Italien. Maximilian hatte ihnen auch Geld angeboten, aber Hannes hatte abgelehnt. Er habe Geld genug, behauptete er.

»Willst du wissen, Hetti, woher er das Geld hat?«

Ich nickte, obwohl Geldsachen mich normalerweise nicht sehr interessierten.

»Von deinem Vater«, sagte Martin gewichtig, und mein Interesse erwachte.

Ich erfuhr, daß unser Vater und Hannes miteinander korrespondiert hatten. Vater erkundigte sich nach dem Wohlergehen von Filou und fragte so nebenbei, wie es den Kindern ginge. Hannes berichtete dann ausführlich über Filou und so nebenbei auch über uns. Allerdings mußte Martin diese Briefe aufsetzen, da Hannes nicht nur mit der Rechtschreibung, sondern mit dem Schreiben überhaupt auf Kriegsfuß stand. In den Briefen unseres Vaters steckten immer einige Dollarscheine, die Hannes, der von Großvater wußte, welchen Wert sie hatten, sorgsam aufhob.

»Aber was wollen sie in Italien?« fragte ich Martin.

»Sie bleiben nicht in Italien. Sie wollen sich in Genua nach Amerika einschiffen. Sie wollen zu deinem Vater.«

Diese Neuigkeit beeindruckte mich mächtig. Ich sah im Geiste ein großes Schiff auf dem großen Ozean durch die Wellen pflügen. Ich fand die Geschichte so gewichtig, daß ich Martin bat, Großvater und Mutter alles zu erzählen. Im Prinzip hatte Martin nichts dagegen, aber er bat mich, die Sache zu übernehmen.

»Ich rede mit dem gnädigen Herrn Baron nicht gern lange Sätze«, sagte er zur Begründung. »Es schickt sich nicht. Jawohl, Herr Baron, oder: Nein, Herr Baron, mehr sollte man nicht sagen, wenn es nicht sein muß.«

Er übergab mir den Brief seines Bruders, und ich unterrichtete die Familie.

Mutti fiel von einer Entrüstung in die andere.

»Nein, über die grüne Grenze!« rief sie, und: »Sie können doch gar nicht Italienisch!« Als sie von Vaters Briefen hörte, geriet sie außer Rand und Band: »Einem Stallknecht schreibt er, aber mir nicht!«

»Mit ihm ist er auch nicht verheiratet!« fuhr Großvater, der die Geschichte ruhig und schmunzelnd aufgenommen hatte, sie an.

Ich kicherte.

Meine Mutter wurde richtig böse und ließ ihren Zorn an mir aus.

»Du bekommst nichts zum Geburtstag!« drohte sie, sprang auf und rauschte hinaus.

Trotzdem wurde dieser Geburtstag der schönste, den ich jemals gefeiert hatte. Und selbst der liebe Gott schenkte mir — allerdings mit Robis Hilfe — etwas, womit ich wirklich nicht gerechnet hatte.

Sonst ahnt man ja meistens ziemlich genau, zumindest bei der Verwandtschaft, was sie einem schenken werden: Mutti auf jeden Fall etwas zum Anziehen, Großvater etwas zum Lesen und Robert etwas zum Knabbern. Die Tanten pflegten Puppen, Handschuhe oder Taschentücher zu schenken, die Onkel irgendwelche Geduldspiele. Die Schulfreundinnen brachten Blümchen mit, bestenfalls Bonbons und schlimmstenfalls Bleche mit selbstgebackenen Kuchen.

Mutti hatte sich diesmal, das mußte ich ehrlich zugeben, selbst übertroffen, trotz ihrer Drohung, mir nichts zu schenken — oder vielleicht gerade deshalb. Ich bekam einen sehr hübschen, perlenbestickten Pompadour, die erste Handtasche meines Lebens. Großvater schenkte mir ein Konversationslexikon in drei Bänden und der liebe Gott die neueste Nummer der Wochenzeitschrift ›Die Heimatpost‹, in der mein erster literarischer Versuch mit dem Titel ›Des Kaisers Zigarettendose‹ abgedruckt wurde.

Ich hatte die Geschichte gleich damals aufgeschrieben, als sie sich ereignet hatte, tagelang daran herumgefeilt und sie schließlich Robert vorgelesen, der mir sein Wort geben mußte, niemand davon zu erzählen. Aber Robi hatte sein Wort gebrochen, das Manuskript aus meinem Versteck geklaut und es unter meinem Namen an die Redaktion geschickt.

Meine gesamte Schulklasse, die ebenfalls eingeladen war, bewunderte die frischgebackene Schriftstellerin. Das Blatt ging von Hand zu Hand, und schließlich wurde Selma, bei deren Geburtstag sich der Vorfall ja ereignet hatte, aufgefordert, mein Werk vorzulesen. Mir klang es wie Musik in den

Ohren, als sie begann: »Des Kaisers Zigarettendose. Von Henriette von Preewitz.«

Mutter wußte nicht, wie sie sich verhalten sollte. Sie war sicher nicht begeistert, aber die allgemeine Zustimmung machte sie unsicher.

Am Abend, als die Gäste gegangen waren, las Großvater noch einmal mein »Feuilleton«, wie er es nannte, und lobte mich.

Mutti konnte die Bemerkung nicht unterdrücken: »Ich bin nur neugierig, was Graf H. dazu sagt. Er wird toben!«

Graf H. tobte nicht. Im Gegenteil. Er schickte mir am nächsten Tag eine Schachtel Konfekt und ein Briefchen: ›Gut gemacht, Kind, aber komm bloß nicht auf die Idee, Schriftstellerin zu werden. Frauen sollen keine Bücher in die Welt setzen, sondern Kinder. Dein Graf H.‹

Mutti verstand die Welt nicht mehr.

»Wieso schimpft er nicht?«

Großvater klärte sie auf: »Weil er eitel ist. Jetzt wissen vielleicht einige zehntausend Leute mehr, daß Kaiser Wilhelm ihm ein goldenes Etui geschenkt hat.«

Großvater hatte natürlich zu hoch gegriffen: ›Die Heimatpost‹ wurde höchstens von dreitausend Menschen gelesen, aber das ist schließlich auch schon etwas.

Ein lohnender Diebstahl

Nach längerem Schweigen besuchte mich einmal Onkel Franzek, ausgerechnet als ich unter den Akazien eine neue Geschichte schrieb, die auch ihn betraf: die traurige Geschichte von Lieschen. Allerdings wurde sie nie gedruckt.

Franzek Malzahn sprach mich auf ein kränkliches, schwaches Ferkel an, den jüngsten Sohn der Sau, die aus unerfindlichen Gründen den Namen Rosemarie trug. Das Ferkelchen war schon fast verhungert, da seine stärkeren Brüder und Schwestern es nicht an die milchspendenden mütterlichen Zitzen ließen.

»Sonst kümmerte sich um solche armen Würmer die Martha«, erzählte Franzek. »Aber jetzt will sie nicht mehr. Sie sagt: andere Mütter brauchen auch keine Kinder zu haben.«

Ich nahm den kleinen Kerl mit in die Küche, zu unserer Hedwiga, die für Tiere ein großes Herz hatte.

»Die sind mir lieber als Menschen«, gestand sie mir einmal. »Es ist der Fluch meines Lebens, daß ich dauernd Hühner schlachten muß.«

Sie war gerade dabei, das neue Hausmädchen, das

Mutti unter vielen Bewerberinnen ausgesucht hatte, zu examinieren.

Hedwiga polterte los: »Was, du hast gar nichts? Kein Bettlaken, keinen Kissenbezug, keine Kleider, kein gar nichts? Hoffentlich hast du deinen Arsch mitgebracht, um dich draufzusetzen!«

Ich überhörte vornehm den volkstümlichen Ausdruck und drückte Hedwiga das Ferkelchen in die Hand, das gleich freundlich wu-wu machte. Wir gaben ihm dann auch den Namen Wuwu. Es wurde mit Milch hochgepäppelt und lief mir bald überall nach, wie ein Hündchen. Stubenrein war es auch, dabei hatte niemand versucht, ihm die anständigen Clo-Manieren beizubringen.

Großvater lästerte denn auch: »Das sind die wahren Wunder Gottes.«

Als Wuwu älter wurde, brachte ich das Ferkel wieder in den Stall zu seiner Mutter. Hier wurde es, nach anfänglichem mißtrauischem Beschnuppern und Herumstoßen auch gnädig in den Familienkreis wieder aufgenommen.

Ich besuchte es jeden Tag und wurde von ihm immer mit einem freudigen »Wuwu« begrüßt, bis es eines Sonntags verschwunden war. Und nicht nur Wuwu, sondern auch drei andere Ferkel fehlten.

»Zigeuner!« behauptete Franzek Malzahn sofort.

Unser Verwalter, der immer höfliche Jan Krukofka, wußte stets, wo es Jahrmärkte gab, auf denen auch Schweine und andere Nutztiere verkauft wurden. Er kam auch auf die Idee, mich mitzunehmen.

»Ferkel sind schwer zu identifizieren«, meinte er, »aber Wuwu würde das gnädige Fräulein sicher erkennen.«

Und das tat Wuwu wirklich.

Der Gendarm, den der Verwalter persönlich gut kannte, machte uns auf dem Jahrmarkt gleich auf ein junges Paar aufmerksam, das acht Ferkel zum Verkauf anbot.

»Das sind Zigeuner«, sagte er. »Die haben zwar einen Händlerausweis, aber trotzdem, die sind mir verdächtig.«

Und richtig, kaum waren wir in die Nähe der quietschenden Ferkel gekommen, gebärdete sich Wuwu wie verrückt, versuchte sich von der Leine, mit der es an einem Fuß an einen Pfahl angebunden war, loszureißen, um mich gebührend begrüßen zu können. Ich hatte Angst, daß es sich verletzte, lief zu ihm und kniete mich nieder. Wuwu empfing mich, auf den Hinterbeinen hüpfend, wie einen alten Freund.

Die Leute blieben um uns herum stehen und lachten. Die Zigeuner fanden die Sache weniger komisch. Als sie den Gendarmen erblickten, rafften sie rasch ihre Siebensachen zusammen und nahmen Reißaus, ohne sich weiter um ihr aufgeregt quietschendes Warenangebot zu kümmern.

Ich löste die Leine, nahm Wuwu auf den Arm, bestieg unsere Gig, die Robi kutschierte, und fuhr glücklich nach Hause. Der Verwalter blieb noch zurück, um »die Formalitäten zu regeln«, wie er sagte, und dann mit dem neuen Stallburschen Bolko Drewnik unsere Ferkel auf einen leichten Leiterwagen aufzuladen. Dies besorgten die beiden dann auch mehr als gründlich.

Wuwu wurde natürlich von Hedwiga und Mathilda in der Küche ausgiebig verhätschelt. Als ich es später nach hinten in den Stall brachte, sah ich, wie der Verwalter und Bolko gerade die anderen Ferkel vom Leiterwagen abluden — sieben an der Zahl.

Hätte ich da etwas sagen sollen?

Die Sau Rosemarie hat jedenfalls sehr verwundert gegrunzt, als an Stelle der verschwundenen vier Ferkel deren acht zurückkamen.

Post aus Amerika

Mutti erzählte uns gerade eine Anekdote von ihrem Urgroßvater mütterlicherseits, einem kauzigen, ungarischen Nabob, von dem niemand genau wußte, wie alt er war. Wenn man ihn nach seinem Alter fragte, habe er bloß immer mit den Schultern gezuckt: »Ich zähle meine Pferde, meine Kühe, meine Schafe, meine Ziegen und mein Geld — aber nicht meine Jahre; die stiehlt mir sowieso niemand.«

Es passierte selten, daß Mutti lustige Geschichten zum besten gab, und so lachten wir alle sehr beflissen. In diesem Augenblick kam Martin herein und meldete, der Herr Mühlenbesitzer Tschescherich möchte vorgelassen werden.

Nach langatmigen Entschuldigungen für diesen unerwarteten Besuch zog Tschescherich einen Brief aus der Tasche und strahlte.

»Ich habe einen Brief von Genoveva bekommen!«

»Ach, wie schön!« rief meine Mutter, und sie meinte es ehrlich.

Der Mühlenbesitzer machte es spannend. »Was glauben Sie, Herr Baron, woher der Brief kommt?«

»Aus Amerika«, sagte Großvater.

Dem Tschescherich blieb der Mund offen. »Woher wissen Sie das?«

Großvater lachte und deutete auf den Umschlag. »Das sehe ich doch an der Briefmarke.«

Tschescherich gab sich noch nicht geschlagen. »Und was glauben Sie, Herr Baron, wo sich Genoveva dort aufhält?«

»Bei meinem Sohn«, sagte Großvater.

Dem Mühlenbesitzer blieb die Spucke weg, bis ihn Großvater über den Brief von Martins Bruder aufklärte.

Beim Stichwort »Genua« hakte Tschescherich wieder ein: »Jawohl, Genua! Dort haben sie sich auf einem Frachtdampfer, der auch Passagiere beförderte, anheuern lassen, Genoveva als Stewardeß und der Kerl Hannes als Heizer. Und jetzt sind sie in Kalifornien, auf der Rensch bei dem jungen Baron.«

Mutti mischte sich ein: »Philipp hat eine Ranch?«

Tschescherich schüttelte den Kopf. »Nein, nein. Die Rensch gehört nicht dem Herrn Baron. Er ist Mennetscher, wie es dort heißt.«

Dann holte er aus dem Umschlag einen Brief hervor und überreichte ihn Großvater. »Ich bin ja nur hergekommen, um Ihnen diesen Brief zu bringen. Von Hannes. Aber das ist die Handschrift meiner

Tochter, der Kerl kann wahrscheinlich gar nicht schreiben.«

Großvater las den Brief laut vor.

In holprigen Formulierungen entschuldigte Hannes sich für seine »Freveltat« und hoffte bei dem »aus tiefstem Herzen hochgeschätzten Herrn Baron auf gütige Nachsicht und Vergebung«.

»Genehmigt«, brummte Großvater. Dann las er weiter: »Ich bin wieder bei den Pferden, bei den privaten Pferden des jungen Herrn Baron. Sie heißen Apache und Sioux. Ich schlafe aber nicht bei ihnen, sondern bei Genoveva, es hat niemand etwas dagegen. Wir werden mit der Hilfe des jungen Herrn Baron bald heiraten. Nicht kirchlich. Es gibt hier über hundert Pferde und genauso viele Autos. Die Hirten, die hier Kaubojs heißen, setzen sich nur auf das Pferd, wenn sie abtreiben müssen. Die Kuhherde anderswohin. Der Besitz, der hier Rensch heißt, ist so groß, daß ich gar nicht weiß, wie groß er ist. Er gehört einer Witwe, einer Missis Goodrich, die aber in Boston wohnt. Sie war einmal eine kurze Zeit hier und ist mit dem jungen Herrn Baron jeden Tag ausgeritten. Als sie gehört hat, daß ich mit Nachnamen Pisztula heiße, redete sie mit mir polnisch, was sie besser kann als ich. Ihre Eltern sind aus Polen eingewandert. Sie hat dann einen Mister Goodrich geheiratet, der mit Gefrierfleisch Millionen machte, wie man das hier nennt. Die Witwe ist sehr schön.«

Bei dieser Feststellung sprang Mutti plötzlich auf, obwohl Großvater den Brief noch gar nicht zu Ende gelesen hatte, und verließ das Zimmer.

Ein altes Gerücht

Einige Tage später bekam Mutti einen Brief aus Breslau. Auf dem Umschlag stand als Absender: Dr. Hermann Stöhrle, Rechtsanwalt und Notar.

Mutti wunderte sich: »Was mag der von mir wollen?«

»Lies den Brief, dann weißt du es«, meinte Großvater.

Mutti machte den Brief zögernd auf und las ihn. Dann sagte sie: »Er bittet mich, ihn nach vorheriger Anmeldung zu besuchen. Es handelt sich um eine private Angelegenheit.«

»Du hast geerbt!« freute sich Großvater. »Ich werde gleich den Stöhrle anrufen, ich kenne ihn gut. Und werde auch gleich Theaterkarten bestellen. Wir waren schon lange nicht mehr in Breslau.«

»Wir auch nicht«, bemerkte Robi.

»Ihr kommt mit«, beschloß Großvater.

In Breslau nahmen wir im Hotel ›Monopol‹ Quartier, gegenüber vom Stadttheater.

»Dann brauchen wir am Abend keine Kutsche, wir können einfach hinüberspazieren«, meinte Großeinem »Verdauungsspaziergang«, wie er sagte —

vater, der Karten für ein Stück von Gerhart Hauptmann besorgt hatte, auch für uns Kinder, trotz des Protestes meiner Mutter.

»Was wird denn, um Gottes willen, gegeben?« fragte sie ängstlich. »Doch nicht etwa dieses gräßliche ›Vor Sonnenuntergang‹ oder das noch gräßlichere ›Die Weber‹? Warum können wir nicht in das Lobe-Theater gehen, wo eine Operette gespielt wird?«

Großvater beruhigte sie: »Die Kinder werden lachen, und ihre Seele wird bestimmt keinen Schaden nehmen. ›Der Biberpelz‹ ist nämlich eine sehr lustige Komödie.«

Wir waren mittags angekommen und hatten alle Hunger. Mutti wollte im Hotelrestaurant essen, aber Großvater war für den ›Schweidnitzer Keller‹. »Dort gibt es das beste Bier«, sagte er, »und die Kinder könnten so nebenbei auch noch das schöne gotische Rathaus besichtigen.«

Wir taten das wirklich »so nebenbei«, der Hunger trieb uns in den ›Schweidnitzer Keller‹. Hier bestellte sich Großvater Schlesisches Himmelreich, ein Gericht aus Backobst, Kartoffelklößen und Rauschfleisch. Mutti mußte, auf Drängen Großvaters, das Zeug unbedingt kosten, aber geschmeckt hat es ihr nicht.

Nach dem Essen schleppte uns Großvater — zu

auf die Holteihöhe, von wo wir den Anblick auf die Türme des Doms und der Sandkirche bewundern sollten.

Dann ging es zurück ins ›Monopol‹; Mutti wollte sich umziehen, bevor sie mit Großvater zum Notar ging, mit dem sie um vier Uhr verabredet waren.

»Was machen wir mit den Kindern?« fragte Mutti, die sehr nervös war. »Zum Notar können wir sie doch nicht mitnehmen.«

Großvater wußte eine Lösung: »Wir deponieren die Kinder unten in der Konditorei und holen sie dort wieder ab.«

Wir fanden die Idee prachtvoll.

Mutti bestellte für uns Schokolade und Johannisbeerkuchen und gab uns in die Obhut einer freundlichen Kellnerin. Als sie ging, stieß sie in der Tür beinahe mit zwei ziemlich aufgetakelten Damen zusammen, die gerade das Lokal betraten. Eine von ihnen, eine Strohblonde, starrte unserer Mutter nach. Als die beiden sich dann direkt neben uns an einen freien Tisch setzten, staunte die Blondine immer noch.

»Hast du sie gesehen? Das war doch die Preewitz!«

Die andere schüttelte den Kopf. »Ich kenne sie nicht.«

»Aber von dem Skandal in Potsdam hast du doch gehört!« rief die Blonde.

Die andere, eine hübsche Dunkelhaarige, zog die Schultern hoch. »Bedaure, aber ich war nie in Potsdam.«

Die Blonde verstand das nicht. »Aber darüber sprach doch ganz Deutschland!«

»Worüber?« fragte die Dunkelhaarige.

»Über das Duell. Ihr Mann, der Philipp von Preewitz, hat ihren Geliebten erschossen, einen Grafen Hohenau, den Adjutanten vom Kronprinzen.«

Robi und ich schauten uns betroffen an. Wir waren beide bis zu den Ohren rot geworden.

»Jetzt dämmert mir etwas«, sagte die Brünette, dann fügte sie hinzu: »Aber das soll doch alles nur eine böse Klatschgeschichte gewesen sein.«

Die Blonde verzog ihr Gesicht: »Klatsch hin, Klatsch her — der Hohenau war jedenfalls tot.«

Das Gespräch wurde nicht weitergeführt, denn zwei Herren, offenbar die Ehemänner, tauchten auf, setzten sich zu ihren Frauen und fingen an, sich über irgendwelche Getreidegeschäfte, die sie soeben getätigt hatten, zu unterhalten.

Wir aßen schweigend unseren Kuchen und trauten uns nicht, uns anzublicken.

Großvater holte uns allein in der Konditorei ab.

»Eure Mutter ist schon auf dem Zimmer«, sagte er

mit ungewohnt ernstem Gesicht. »Geht nur hinauf, ich muß noch etwas erledigen.«

Als wir ins Zimmer kamen, saß Mutti mit rot verweinten Augen in einem Sessel und starrte ins Leere. Als sie uns sah, sprang sie auf, ging zum Fenster und wandte uns schweigend den Rücken zu. Sie sprach nicht zu uns. Wir fühlten, daß irgend etwas Schmerzliches und Trauriges passiert sein mußte, und setzten uns still in eine Ecke.

Als Großvater kam, versuchte er, eine gleichgültige Miene aufzusetzen.

»Alles erledigt. Die Theaterkarten habe ich zurückgegeben. In einer Stunde geht ein Zug, wir können nach Hause fahren.«

Im Zug wurde kaum ein Wort gesprochen. Mutti kämpfte stumm gegen die Tränen an, Großvater las ostentativ Zeitungen. Er hatte sich gleich drei gekauft, was sonst nicht seine Gewohnheit war, die ›Breslauer‹, die ›Dresdener‹ und aus Berlin die ›Vossische Zeitung‹.

Wir saßen in einem Nichtraucherabteil. Einmal stand Großvater auf, brummte etwas von »eine Zigarre rauchen« und ging auf den Gang. Robert schlich ihm nach.

»Großvater, was ist mit Mutti? Warum weint sie?«

Großvater legte seine Hand auf Robis Schulter.

»Du bist groß genug, Junge, es zu erfahren. Euer Vater hat den Rechtsanwalt Stöhrle beauftragt, eure Mutter zu bitten, in die Scheidung einzuwilligen.«

Robert war nicht überrascht. »So? Ich dachte, Papa und Mama sind schon längst geschieden.«

Mit dieser Antwort hatte Großvater nicht gerechnet, und etwas ärgerlich fragte er: »Weißt du überhaupt, was das Wort Scheidung bedeutet?«

Robi nickte. »Natürlich. Es gibt in unserer Klasse zwei Jungen, deren Eltern geschieden sind. Und die Eltern von Hettis Freundin, Angeline Kiederlich, sind auch geschieden.«

»Dann ist es ja gut«, brummte Großvater. »Dann seid ihr wenigstens im Bilde.« Nach einer kurzen Pause: »Und was sagst du dazu?«

Robi zuckte mit den Schultern. »Mir ist es gleich. Ich würde nicht einmal wissen, wie unser Vater aussieht, wenn seine Fotos nicht überall herumstehen würden.«

Er dachte eine Weile nach, dann fragte er besorgt: »Was geschieht dann mit Filou? Schickt Papa auch weiter Dollars, wenn er geschieden ist?«

»Dann erst recht«, sagte Großvater und lachte.

Robi verstand diese Bemerkung nicht, und ich auch nicht, als mein Bruder mir nach unserer Ankunft zu Hause von dem Gespräch erzählte.

Am nächsten Tag — es war ein Feiertag — blieb Mutti im Bett, sie hatte Migräne. Ich hockte den ganzen Vormittag in der Küche, Hedwiga erteilte mir neuerdings, auf Muttis Wunsch, Kochunterricht. Während ich Kartoffeln schälte, gingen mir die Ereignisse des vorherigen Tages durch den Kopf. Mich beeindruckte die bevorstehende Scheidung doch mehr als Robi, aber vor allem ging mir die Unterhaltung der beiden Damen in der Konditorei in Breslau nicht aus dem Sinn. Ich hätte Hedwiga, die ja damals in Potsdam gewesen war, zu gerne ausgefragt, aber ich traute mich nicht, sie konnte manchmal recht grob werden.

Aber da strich sie plötzlich überraschend sanft über meinen Kopf.

»Du bist so schweigsam, Kind. Hast du Kummer?«

Ich gab ihr wieder, was die beiden Damen sich erzählt hatten.

Hedwiga wurde richtig wütend und legte auf schlesisch los: »Diese Pieronas, diese zwei Schnepfen! Man sollte ihre Mäuler mit frischem Dünger stopfen!«

Mir gefiel der Vorschlag, aber die eine Dame nahm ich in Schutz.

»Eigentlich nur die Blonde. Die andere behauptete, alles wäre nur ein bösartiger Klatsch gewesen.«

»Wie recht sie hat!« rief Hedwiga aus.

Und nun erzählte sie, daß »der Betreffende«, ein sehr lustiger Bursche, in Vaters Abwesenheit nur zweimal in unserem Haus in Potsdam gewesen war. Einmal zur Mokkazeit, er hatte vielleicht eine Viertelstunde mit Mutti im Salon gesessen. Er wollte Vati abholen, aber er hatte sich verspätet, und Vati hatte nicht länger warten können und war bereits gegangen. Bei dem zweiten Besuch war Mutti überhaupt nicht daheim.

»Der Betreffende saß bei mir in der Küche und aß einen Teller Erbsensuppe mit Speck, sein Lieblingsgericht. Dabei erzählte er dauernd Kasernenwitze«, berichtete Hedwiga.

Sie kostete die Sauce, die sie gerade anrührte, fluchte, weil sie sich die Zunge verbrannte, dann fuhr sie fort: »Das böse Gerücht hat die Katharina Rochow aufgebracht, diese Pierona, die einmal mit dem Herrn Baron verlobt gewesen war. Sie hat es nicht überwinden können, daß er die Frau Gräfin geheiratet hatte, und streute überall Gerüchte aus über sie und den Betreffenden. Sie brachte es sogar fertig, anonyme Briefe zu schreiben. Nach der Tragödie gab sie alles zu, aber da war es schon zu spät, der Herr Baron war schon in Amerika in einem Internierungslager, da inzwischen der Krieg ausgebrochen war.«

Jetzt wußte ich alles. Der Hedwiga glaubte ich, sie war ein grundehrlicher Mensch, und bestimmt war ihr niemals eine Lüge über die Lippen gekommen. Sie hatte feste Grundsätze und eigene Ansichten, die sie gern zum Besten gab, und das tat sie auch jetzt.

»Und der Kerl, der euer Vater ist, hätte schon längst zurückkommen müssen. Wie ich höre, will er sich jetzt auch noch scheiden lassen!«

Ab nach Berlin

Am nächsten Tag saß Mutti wieder mit uns beim »Fruhstuck«, wie das in Hedwigas Mundart hieß. Anschließend hatte ich mich im Wohnzimmer in meinen hochlehnigen Zaubersessel zurückgezogen, der mich unsichtbar machte, und hörte Mutti und Großvater sprechen, während sie durch den Raum gingen.

»Du mußt mir einen Rat geben, Großvater«, sagte Mutti.

»Laß den Kerl sausen!« rief Großvater. »Praktisch seid ihr sowieso schon lange geschieden, also was nützt dir noch das Stückchen Papier? Philipp kann sein Glück machen, und du wirst die Männer auch wieder mit anderen Augen anschauen, wenn du einmal geschieden bist.«

»Was für Männer?« fragte Mutti. »Die Burschen hier im Dorf vielleicht?«

»Aber nein«, rief Großvater. »Es gibt doch noch andere Dörfer und andere Männer! Hat dich deine Schwester nicht schon einige Male nach Berlin eingeladen?«

»Doch, in jedem Brief.«

»Na also! In zwei Wochen beginnen die Ferien.

Pack die Kinder zusammen und dampft ab nach Berlin.«

Ich fand die Idee nicht nur gut, sondern geradezu phantastisch. Nachdem Großvater und Mutti das Zimmer verlassen hatten, stürzte ich auch hinaus und machte mich auf die Suche nach Robi, um ihm die aufregende Neuigkeit zu berichten.

Weder Mutti noch Großvater erzählten uns von der beabsichtigten Reise nach Berlin. Fragen konnten wir nicht, dann hätte ich zugeben müssen, gelauscht zu haben. So vergingen drei spannungsvolle Tage, bis ich es mit einem frechen Trick versuchte.

»Was ist nun mit der Reise nach Berlin?«

Mutti schaute mich überrascht an. »Habe ich dir davon erzählt?«

»Natürlich«, log ich.

Robert, der neben mir saß, bekam einen roten Kopf. Nachher, als wir alleine waren, sagte er mir, er habe schon immer gewußt, daß Mädchen besser lügen können als Jungen.

Jedenfalls war Mutti verunsichert, und so erzählte sie uns, daß sie an ihre Schwester geschrieben habe. Wir müßten aber noch die Antwort abwarten. Von da an zählten wir die Tage und Stunden bis zum Ferienbeginn. Wir gingen im Grunde genommen sehr gerne in die Schule, der Umgang mit den anderen Kindern war für uns sehr wichtig, da wir zu Hause doch allzusehr auf uns allein angewiesen waren, denn eigentlich beschäftigte sich niemand mit uns. Am ehesten noch die Dienstboten, aber auch das hatte sich seit dem Weggang von Hannes und durch den Tod von Lieschen sehr geändert.

Mutti flatterte den ganzen Tag im Haus herum, wenn sie keine Migräne hatte. Wenn sie uns sah, gab es rasch eine Umarmung und einen Kuß, aber das war dann auch alles.

Großvater inspizierte jeden Tag die Felder, kam meistens mit besorgtem Gesicht zurück und brummte: »Niemand will mehr arbeiten.«

»Das hat sicher seine Gründe«, beschwichtigte ihn Mutti.

»Natürlich«, räumte Großvater ein. »Die Leute bekommen für ihre Arbeit wertloses Geld, sie können sich nichts dafür kaufen.«

»Sie können sich aber wenigstens satt essen«, meinte Mutti.

»Mit Rüben und Kartoffeln«, knurrte Großvater, dann wandte er sich an uns: »Wäre euch das recht?«

»Nicht jeden Tag«, sagte ich und schnitt ein Stück vom Sauerbraten ab.

Muttis Schwester antwortete nicht.

Wir hatten schon jede Hoffnung aufgegeben, und Robert versuchte seine Enttäuschung herunterzuspielen, indem er behauptete, er würde viel lieber zu Hause bleiben, er könnte dann jeden Tag angeln gehen, was er leidenschaftlich gern tat.

Aber dann tat er doch einen Luftsprung, als der Brief aus Berlin kam und Mutti ihn uns vorlas. Er fing mit dem Satz an:

»Ihr seid willkommen!«

Vor Freude trat ich Robi unter dem Tisch ans Schienbein. Tante Eva entschuldigte sich wegen der verspäteten Antwort, aber sie sei mit ihrem Mann einige Tage in Paris gewesen.

Mutti ließ den Brief sinken, verdrehte die Augen und seufzte: «Paris!«

Robert wunderte sich. »Kann man denn da schon hinfahren? Paris ist doch die Hauptstadt von Frankreich, und die Franzosen sind doch unsere Feinde.«

»Sie waren es«, belehrte ihn Großvater. »Heute nicht mehr.« Er schwieg eine Weile, dann brummte er: »Nicht offiziell.«

Tante Eva schrieb weiter, daß sie noch einen Logierbesuch habe, den Sohn des Bruders von Onkel Steiner, dessen Frau vor einem Jahr gestorben sei. Er gehe auf das Gymnasium und wohne in Berlin, aber sein Vater sei für länger Zeit verreist, und er wolle den Jungen nicht allein in der Wohnung lassen. So habe Onkel Steiner seinen Neffen Edwin für die Zeit bei sich aufgenommen.

Der Brief endete:

»Telegrafiert mir, wann Ihr ankommt, mit welchem Zug und an welchem Bahnhof, damit ich Euch abholen kann.«

»Ihr kommt natürlich am Schlesischen Bahnhof an«, stellte Großvater fest. Dann fragte er: »Wo wohnt Eva in Berlin? Im Grunewald?«

»In Dahlem-Dorf«, antwortete Mutti.

Mir fiel beinahe der Kaffeelöffel aus der Hand.

»Dorf?! Dann können wir gleich hierbleiben.«

Alle lachten, auch der freche Robi, was ihm einen zweiten Schienbeintritt einbrachte.

Der neue Vetter

Endlich ging's nach Berlin. Wir fuhren mit dem Schlafwagen, zum ersten Mal in meinem Leben. Robert und ich hatten ein Abteil, Mutti auch eines. Wir stritten eine Weile darüber, wer im oberen Bett schlafen sollte, aber Mutti entschied, daß Robi nach oben klettern müsse.

»Die Sache ist nämlich nicht ganz ungefährlich«, behauptete sie. »Wenn der Zug plötzlich bremsen muß, dann kann man leicht herunterkullern.«

Vor Aufregung konnte ich nur schwer einschlafen, aber dann schlief ich wie ein Murmeltier. Mutti mußte mich wachrütteln.

Ich weiß nicht mehr, was ich mir unter dem Schlesischen Bahnhof vorgestellt hatte, aber wenn ganz Schlesien so aussah wie dieser riesige, schmutzige, von Rauch stinkende Bahnhof, dann war es nicht schön.

Tante Eva erwartete uns mit Blumen, Küssen, einem Chauffeur und einem mächtig großen Automobil. Wir hatten alle bequem Platz darin, nur unsere Koffer nicht. Der Chauffeur, der Kruse hieß, mußte noch ein Taxi für das Gepäck organisieren.

Wir fuhren zwischen großen Häusern auf breiten Straßen und begegneten vielen anderen Automobilen, einstöckigen Autobussen, bimmelnden Straßenbahnzügen, aber auch Pferdedroschken, deren Pferde die Köpfe tieftraurig hängen ließen. Ich hätte Tante Eva manchmal gerne etwas gefragt, aber es war nicht möglich, sie und Mutti redeten unaufhörlich miteinander.

Nur einmal gelang es Robi, die Unterhaltung zu unterbrechen, als er plötzlich aus dem Fenster zeigte und rief: »Da möchte ich unbedingt einmal hinein!«

Wir waren gerade am Ufa-Palast am Zoo vorbeigefahren.

Doch zu Robis Enttäuschung erklärte Tante Eva: »Kinder dürfen nicht ins Kino, Robi. Das ist streng verboten.«

Robi protestierte: »Aber ich habe noch nie einen Film gesehen. Und Hetti auch nicht.«

»Manchmal gibt es am Sonntagvormittag Kindervorstellungen mit Märchenfilmen. Zum Beispiel ›Rübezahls Hochzeit‹.«

»Ausgerechnet Rübezahl!« maulte Robi. »Der hängt mir schon zum Hals heraus. Stundenlang hat man uns von dem erzählt, Mutti, Martin und neuerdings Hedwiga. Ich habe genug von ihm.«

»Jetzt bist du ungezogen, Robert«, ermahnte

Mutti ihn. Wenn sie sich über ihn ärgerte, nannte sie ihn immer Robert statt Robi. Und mein Bruder wußte, daß er dann besser den Mund hielt.

Tante Eva versuchte zu vermitteln: »Das ist doch ein großer Unterschied, ob du ein Märchen erzählt bekommst oder ob du die bewegten Bilder siehst.«

Robi ergab sich brummend: »Ist schon möglich.«

Auf einmal kamen wir in eine Gegend, wo die Häuser kleiner waren, es gab Bäume und Gärten, und dann fuhren wir durch ein offenstehendes schmiedeeisernes Tor, das teilweise vergoldet war, in einen schönen, sehr gepflegten Park. Die Auffahrt war fein säuberlich geharkt und von Rosenbeeten gesäumt.

Das Haus war nicht so groß wie das unsere, aber viel schöner. Die breiten Steinstufen einer Freitreppe führten nach oben zum Eingang, und davor erwartete uns ein livrierter Diener.

Als wir gerade die Stufen hochstiegen, ertönte hinter uns eine befehlende Stimme: »Halt!«

Wir blieben alle erschrocken stehen und drehten uns um. Es klickte, und hinter einem Rosenbusch trat, einen Fotoapparat in der Hand, Onkel Steiner hervor. Das heißt, ich glaubte, daß er es war. Denn als er näher kam, verjüngte er sich zusehends — er sah aus, wie Onkel Steiner wahrscheinlich als junger Bursche ausgesehen hatte.

»Das ist Edwin«, stellte uns Tante Eva den jungen Mann vor, der eine rote Nelke im Knopfloch trug. Mutti reichte ihm die Hand: »Sie sehen Evas Mann ungeheuer ähnlich.«

Edwin lachte. »Sie sind nicht die erste, gnädige Frau, die das sagt.«

Er küßte Mutti galant die Hand, uns winkte er ein »Hallo« zu, schüttelte länger Robis Hand, und mir drückte er mir nichts dir nichts einen Kuß auf die Wange.

Mein erster Gedanke war: Ein arroganter Bengel! Aber da legte er seinen Arm um meine Schultern, schob mich die Stufen hinauf und sagte lachend: »Du hast das ulkigste Gesicht gemacht, als ich euch geknipst habe. Wie eine Forelle auf dem Trockenen, die nach Luft schnappt.«

Wir erfuhren bald von Tante Eva, daß ihr Mann Herbert — der übrigens noch in Hamburg war — und Edwins Vater Otto Zwillingsbrüder waren. Daher also die große Ähnlichkeit.

Meine Mutter bemerkte lächelnd: »Paß auf, daß du die beiden nicht verwechselst!«

»Ich hätte nichts dagegen einzuwenden, gnädige Frau«, sagte Edwin.

Tante Eva wies ihn, ich wußte damals nicht, warum, mit gerunzelter Stirn zurecht: »Edwin!«

»Und du läßt das alberne ›gnädige Frau‹, mein

Junge«, sagte Mutti zu Edwin. »Du kannst ruhig Tante zu mir sagen.«

»Dazu sind Sie noch zu jung, gnädige Frau!« sagte Edwin, ergriff die Hand meiner Mutter und küßte sie wieder.

»Ich muß schon sagen!« bemerkte Mutti zu ihrer Schwester, halb empört, halb belustigt.

Tante Eva erklärte: »Edwin fühlt sich nicht mehr als Kind. Im nächsten Jahr macht er sein Abitur.«

Edwin lachte. »Wenn er es macht!«

Der Chauffeur und die Diener kamen mit den Gepäckstücken und hievten sie die Treppe hoch.

»Die Gästezimmer sind in der zweiten Etage«, verkündete Tante Eva. Dann wandte sie sich an Edwin: »Geh, Edwin, zeig den Kindern ihre Zimmer.«

Edwin machte eine vollendete Verbeugung. »Aber gern.«

Er legte wieder den Arm um meine Schultern und schob mich zur Treppe.

Leise sagte ich zu ihm: »Du bist so höflich.«

Edwin lachte und flüsterte mir ins Ohr: »Ich verkohle sie doch alle!«

Ich hatte plötzlich das Gefühl, daß mir aufregende Ferien bevorstanden.

»Ein Luftloch ist auch was Schönes!«

Edwin entpuppte sich als ein guter Kumpel, von dem wir vieles lernten, allerdings auch Dinge, die wir manchmal gar nicht richtig verstanden.

Mutti und Tante ärgerten sich allerdings oft über ihn. Er liebte es, »Bomben platzen zu lassen und die sogenannten Erwachsenen zu schockieren«, wie er uns gleich am ersten Abend gestand, als wir allein auf der Terrasse saßen, während Eva ihre Kleider und Pelze Mutti vorführte.

Schon am nächsten Morgen beim Frühstück platzte die erste »Bombe«.

»Wie lange bleibt Ihr Herr Vater verreist?« fragte meine Mutter Edwin. Es fiel mir auf, daß sie ihn nicht mehr duzte.

»Ein Jahr und zwei Monate. Wenn er nicht wegen guter Führung früher entlassen wird.«

Meine Mutter schaute ihn erschrocken an.

»Oder hat man Ihnen auch den Bären mit der Amerikareise aufgebunden?«

Mutti blickte Tante Eva hilfesuchend an. Diese schimpfte: »Jetzt ist es aber genug, Edwin!«

»Wieso? Es ist doch keine Schande. Mein Vater sitzt im Gefängnis.«

»Wegen eines Duells?« warf ich neugierig ein.

Edwin nickte. »So kann man es auch nennen. Ein Duell mit der Regierung. In Wahrheit war es nur ein Zeitungsartikel.«

Er köpfte energisch sein Ei. Am Tisch herrschte Schweigen, bis Edwin sich halb und halb entschuldigte: »Es tut mir leid, Eva, aber ich habe es nicht gern, wenn man die Wahrheit diskret verschweigt. Mein Vater hat nichts Kriminelles getan. Vater ist ein ehrenwerter Mann!«

Der Chauffeur Kruse erschien in der Tür. »Welchen Wagen soll ich vorfahren, gnädige Frau?«

»Ich nehme mein Cabriolet«, antwortete Tante Eva, dann wandte sie sich an meine Mutter: »Ich hoffe, es ist dir recht, wenn wir in einem offenen Wagen nach Potsdam fahren? Die Kinder können so viel mehr sehen. Es ist zwar ein bißchen zugig, aber du sitzt ja vorne bei mir.«

Mutti war alles recht. Sie wollte nur nach Potsdam, in die Stadt, wo sie die glücklichste Zeit ihres Lebens verbracht hatte. Sie wollte das Haus wiedersehen, in dem sie einst mit unserem Vater gewohnt hatte.

Edwin erklärte, daß er nicht mitkommen möchte. »Euer Geburtshaus in Ehren«, sagte er zu mir, »aber ich mag Potsdam nicht. Zuviel Unglück kam von dort über Deutschland.«

Ich fand, er redete etwas hochtrabend, wie ein Erwachsener, ich verstand auch nicht, was er meinte, und bat ihn: »Sei kein Frosch und kommt mit.«

Edwin lachte. »Also gut, ich will kein Frosch sein und komme mit. Aber nur wegen deiner schönen braunen Augen.«

»Ich habe blaue Augen!« rief ich wütend.

»Ich bin farbenblind«, sagte Edwin lachend.

Man wußte bei ihm nie, ob er etwas ernst meinte oder sich über einen lustig machte.

Mutti und Tante Eva gingen auf ihre Zimmer, um sich für die Fahrt umzuziehen.

Als wir allein waren, fragte Robert: »Sag, Edwin, ist das wirklich wahr, daß man deinen Vater wegen eines Zeitungsartikels eingesperrt hat?«

Edwin überlegte eine Weile, dann forderte er uns auf mitzukommen. In seinem Zimmer zeigte er uns einen Stapel Zeitungsausschnitte mit großen Überschriften: ›Prozeß gegen Otto Stone‹ oder ›Stone in Haft‹ oder ›Otto Stone wegen Landesverrats verurteilt‹.

Bevor ich fragen konnte, wieso er Stone und nicht Steiner hieße, erklärte uns Edwin: »Vater schrieb unter dem Namen Stone für englische und amerikanische Zeitungen, deren Korrespondent er war.«

»Aber warum hat man ihn verurteilt?« drängte Robert. »Was hat er verbrochen?«

»Sein größtes Verbrechen war, daß er mit Karl Liebknecht befreundet war.«

Robert hatte noch nie etwas von Karl Liebknecht gehört und ich schon gar nicht. Edwin merkte das gleich.

»Ihr seid noch zu jung, ich kann euch die politischen Hintergründe nicht erklären.«

Ehrlich gesagt, ich war auch gar nicht so neugierig darauf, Robert wahrscheinlich schon eher.

Aber da ertönte von unten Tante Evas Stimme: »Wo steckt ihr denn, Kinder? Wir fahren jetzt.«

Die Fahrt im offenen Wagen war recht interessant. Tante Eva fuhr sehr langsam und erklärte uns einige Sehenswürdigkeiten. Viele waren es nicht, Tante Eva sagte auch, daß die berühmten Gebäude östlich des Brandenburger Tores lägen, die wir natürlich alle besichtigen würden.

»O du Schreck!« stöhnte Edwin. »Du solltest lieber deine Gäste fragen, was sie gerne sehen möchten.«

Tante Eva war gutgelaunt und fragte: »Also Kinder, was möchtete ihr sehen?«

Robert antwortete: »Ich habe nur drei Wünsche: Kino, Kino, Kino!«

Tante Eva lachte, und Edwin flüsterte Robi zu: »Das werde ich schon schaukeln.«

Mutti brach in Tränen aus, als sie in Potsdam das

schmutziggraue Haus in der Charlottenstraße erblickte.

»Mein Gott«, seufzte sie, »ich habe das viel schöner in Erinnerung gehabt!«

Sie ließ sich trotzdem überall hinfahren, wo sie in Erinnerungen schwelgen konnte. Zum Lustgarten und zum Paradeplatz, zum Beispiel, wo unser Vati oft herumgeritten war. Da gab es acht Kanonen zu sehen, aus verschiedenen Zeitaltern, und Büsten und Statuen von berühmten preußischen Feldherren.

»Lauter Schlächter und Mörder«, flüsterte uns Edwin verächtlich zu.

Das gleiche wiederholte er auch im Königlichen Schloß, angesichts der Standbilder der Generäle Blücher, Gneisenau und Tauentzien.

Mutti hörte die Bemerkung und erklärte entrüstet: »Das waren Helden, Edwin, Helden der deutschen Geschichte. Ich wünsche nicht, daß Sie meinen Kindern derartige Ideen in den Kopf setzen!«

»Es wird nie wieder vorkommen«, beteuerte Edwin und küßte Mutti, zum Zeichen seiner Ergebenheit, die Hand. Kaum hatte Mutti sich umgedreht, blitzten seine Augen: »Und es waren doch Mörder!«

Die schönen alten Gebäude gefielen uns schon

sehr gut. Am meisten imponierte Robi ein Palast, der mit einer Front von hundertdreißig Meter Länge das kolossalste von allen war.

»Das war das Militärwaisenhaus«, klärte uns Mutti auf.

»Da haben wir es!« triumphierte Edwin. »Das größte Haus am Platze für die Waisen der gefallenen Soldaten.«

Am nettesten fand ich die Russische Kolonie Alexandrowka, mit den vielen lustigen kleinen Holzhäusern, und am hübschesten natürlich den Park und das Schloß von Sanssouci, von dem ich schon viel gehört hatte — Flötenkonzert und so.

Zu Mittag aßen wir in einem sehr eleganten Restaurant, als Vorspeise gab es Bärenschinken. Ich wußte bis dahin nicht, daß man Bären essen kann, und ehrlich gesagt, ekelte ich mich davor. Ich mußte dauernd an den Tanzbären denken, den polnische Zigeuner einmal bei uns hinter dem Gesindehaus auf der Wiese vorgeführt hatten und der in einen Kuhfladen tapste.

Am Abend erwartete mich eine weitere kulinarische Neuigkeit. Der schöne Onkel Steiner war aus Hamburg zurückgekommen und hatte Hummer mitgebracht, für jeden einen. Nur nicht für Edwin, ihm wurde das Abendessen des Personals serviert: Linsen mit Würstchen.

Onkel Herbert bemerkte dazu: »Als überzeugter Kommunist lehnst du sicherlich ein derart feudales Essen ab.«

Mich grauste es vor dem roten Tier, und ich bot Edwin einen Tausch an, aber er lehnte ab.

»Ich esse gerne Linsen. Außerdem wollen wir unserem Onkel den Spaß nicht verderben. Wie ich ihn kenne, steckt sicherlich noch ein Scherz dahinter.«

Um es gleich vorwegzunehmen: Edwin hatte recht. Als er später in sein Bett steigen wollte, krabbelte so ein Biest unter der Bettdecke herum...

Übrigens schmeckte das Biest großartig. Nachdem Robi und ich ziemlich mühevoll gelernt hatten, die harte Schale zu knacken und mit dem gabelähnlichen Eßwerkzeug das weiße Fleisch herauszupulen, waren wir beide von dem Geschmack des Hummerfleisches begeistert.

Nur Mutti warnte: »Um Gottes willen, Kinder, gewöhnt euch bloß nicht daran! So was können sich arme schlesische Bauern, wie wir es sind, nicht leisten.«

Nach dem Essen reinigten wir unsere Finger mit warmem Wasser und mit einer halben Zitrone, und dann erhob sich Onkel Herbert und forderte uns auf, mitzugehen.

In der Bibliothek waren die Geschenke ausgebreitet, die er uns aus Hamburg mitgebracht hatte.

Ich bekam eine Schachtel Konfekt, ein sehr hübsches Kleid, einen Tennisschläger und einen weißen Tennisrock, Schuhe, Socken und ein weißes Hemd. Auch Robi bekam ein weißes Hemd, weiße Shorts, einen Schläger, eine schicke cremefarbene Hose und eine Clubjacke dazu. Unsere Freude war natürlich riesengroß.

Allerding stellte sich bald heraus, daß mein Kleid zwei Nummern zu groß war.

Doch Tante Eva tröstete mich: »Ich habe eine Hausschneiderin, das Kleid wird an einem Tag geändert.«

Robis Anzug saß wie angegossen, und die Tennissachen paßten uns auch.

Mutti bedankte sich auf ihre Weise: »Es ist sehr lieb von dir, Herbert, aber was sollen die Kinder mit den Tennisschlägern? Sie können ja nicht spielen, und bei uns haben sie auch keine Gelegenheit dazu.«

»Sie werden es lernen, im Blau-Weiß-Club bei meinem Trainer«, erklärte Onkel Herbert, der mit der Zeit immer mehr Platz in meinem Herzen einnahm. Dann überreichte er Edwin ein kleines Paket. »Und hier ist etwas Gift für dich.«

In dem Paket waren Bücher, die Edwin offenbar

große Freude bereiteten. Er sagte: »Danke«, dann schüttelte er ungläubig den Kopf und rief aus: »Daß du mir solche Bücher schenkst!« Er reichte Onkel Herbert die Hand. »Ich beginne langsam eine bessere Meinung von dir zu bekommen.«

Niemand nahm ihm die Frechheit übel, anscheinend hatte Edwin Narrenfreiheit.

Ich wollte mir die Bücher zeigen lassen, aber Edwin meinte: »Ich glaube nicht, daß sie dich interessieren. Kannst du überhaupt Französisch?«

»Un peu«, sagte ich und nahm die Bücher in die Hand. Die Namen der Autoren, Michael Bakunin und Joseph Proudhon, sagten mir nichts.

Edwin bemerkte mit glänzenden Augen: »Anarchisten.«

Das sagte mir noch weniger. Aber mir fiel ein, was mein Großvater immer zu sagen pflegte: »Ein gutes Buch bewegt den Geist wie das Wasser die Mühle.«

Viel mehr sagte mir das Tennisspiel zu. Jeden Morgen, noch vor dem Frühstück, fuhr uns Onkel Herbert im Cabriolet zum Blau-Weiß-Club. Er spielte mit wechselnden Partnern, und wir nahmen bei dem Trainer, Herrn Neumann, Unterricht. Er war ein sehr netter Mensch, hatte aber die ziemlich dumme Angewohnheit, immer, wenn wir an einem Ball vorbeischlugen, laut zu rufen: »Hopp! Ein Luftloch ist auch was Schönes!«

In Zukunft hieß es bei uns, wenn wir irgend etwas vermurkst hatten: »Hopp! Ein Luftloch ist auch was Schönes!«

Sogar Großvater hatten wir damit angesteckt. Er hatte sich eines Tages ein Automobil zugelegt, das er selber fuhr. Einmal rutschte er von der Bremse auf das Gaspedal, durchbrach mit dem Wagen eine Holzplanke und blieb dann stehen. Nach dem ersten Schock drehte er sich zu uns um und sagte: »Hopp! Ein Luftloch ist auch was Schönes!«

Lya de Putti

»Tut doch auch etwas für eure Bildung!« verlangte Mutti.

Auf ihr Drängen stellte Onkel Herbert eine Liste zusammen, die er uns vorlas: Brandenburger Tor, Opernhaus, Kaiserliche Schlösser, Zeughaus, die Museumsgebäude an der Spree und ähnliches mehr. Er überreichte diese umfangreiche Liste Edwin, mit der Bemerkung, es sei seine Pflicht, uns das alles zu zeigen.

Ich hatte das Gefühl, daß er dabei spöttisch lächelte.

Edwin tat es ebenfalls, als er den Zettel einsteckte und mit pflichternster Miene sprach: »Wir fangen noch heute nachmittag an.«

So war es dann auch: wir fingen am Nachmittag mit unseren Kinobesuchen an. Bevor wir losgingen, versammelten wir uns in Edwins Zimmer.

Edwin musterte uns von Kopf bis Fuß, dann erklärte er: »Für ein gutes Trinkgeld kriege ich euch bestimmt durch, aber wir wollen es den Billeteuren erleichtern, euch für älter zu halten, als ihr seid.«

Robert wollte er einen angeklebten Schnurrbart

verpassen, aber Robi weigerte sich. Schließlich tat es ein tief in die Stirn gezogener Panamahut auch. Mich betrachtete Edwin sorgenvoll.

»Du bist zu flach«, rief er bekümmert aus. Dann zerknüllte er Zeitungspapier zu zwei Kugeln, drückte sie mir in die Hand und deutete auf meinen Pullover. »Steck's da hinein.«

Ich bekam einen roten Kopf und schmiß ihm die Dinger vor die Füße.

»Ich denke nicht daran!«

Edwin zuckte die Achseln. »Dann bleibst du eben hier.«

Robert gab auch seinen Senf dazu: »Ich finde, das wäre sehr viel besser.«

Mit zusammengekniffenen Lippen stand ich da, dem Heulen nahe.

Edwin bückte sich, reichte mir noch mal die zwei Papierkugeln und tätschelte mein Gesicht. »Geh in dein Zimmer und werde erwachsen.«

Ich habe die dummen Kugeln weggeworfen, dafür habe ich zwei von den neuen Tennissocken unter meinen Pullover gestopft.

Wir beeilten uns, aus dem Haus zu kommen, damit uns in dieser Aufmachung niemand begegnete. Auch den Weg zum Gartentor legten wir laufend zurück, und dies hatte zur Folge, daß ich die Socken immer wieder zurechtrücken mußte.

Im Autobus saß ich so unbeweglich da, als ob ich einen Spieß verschluckt hätte. Ich genierte mich auch, denn ich hatte das Gefühl, daß die Männer mich manchmal mit anderen Blicken angeschaut haben als sonst. Sie ließen ihre Augen länger auf mir ruhen, einige lächelten sogar. Ich dachte mir: Was doch ein Paar Socken ausmachen...

Das Kino war ein ganz großes Erlebnis. Anfangs war es geradezu unheimlich zu sehen, wie die Bilder sich bewegten, als ob sie leben würden, dabei waren sie ja nichts anderes als aneinandergereihte Fotos.

Die Handlung wurde durch aufgedruckte Titel erklärt, aber ich kam nur selten dazu, sie zu lesen, die Bilder faszinierten mich zu sehr. Ein Klavierspieler und ein Geiger machten Musik dazu, sehr stimmungsvoll.

Der Film, den wir sahen, hieß ›SOS. Die Insel der Tränen‹. Die Hauptdarstellerin war Lya de Putti, eine bildschöne Frau. Zuerst trat sie als junges Mädchen in einem Mädchenpensionat auf, dann auf einem Schiff, das in Sturm geriet, durch mächtige Wellen zerschlagen wurde und schließlich sank. Aber sie wurde gerettet, lebte auf einer einsamen Insel mit einigen anderen Schiffbrüchigen, zu denen auch der böse Kapitän gehörte, gespielt von dem kantigen Paul Wegener. Auf dieser Insel gab es einen riesigen Affen, der ein Kind raubte, außerdem eine Menge Giftschlangen.

Edwin behauptete allerdings, es wären nur harmlose Nattern gewesen, durch fotografische Tricks vergrößert. Aber ich glaubte ihm nicht.

Robi war besonders von der Lya de Putti begeistert. Jedesmal, wenn er von ihr sprach, bekam er glänzende Augen.

Wir gingen noch sehr oft in den ›Kintopp‹, wie die Berliner das Kino nannten. Offiziell hieß es: Kinematographisches Theater. Wir sahen uns Filme mit Asta Nielsen, Henny Porten, Conrad Veidt und anderen Stars an, aber vor allem mit Lya de Putti, bis zum Überdruß; Robi stöberte in den Zeitungen auf, in welchem Kino ihre Filme liefen, und schleppte uns hin.

Das Brandenburger Tor mit der Quadriga haben wir uns auch angesehen, als wir einmal Unter den Linden entlang zu dem ›Buddenbrooks‹-Film marschierten, der in einem Kino in der Friedrichstraße lief. Wir haben auch Schlösser und Museen besichtigt — wenn auch nur im Laufschritt —, um zu Hause über sie reden zu können, allerdings fragte uns außer Mutti keiner nach ihnen.

Schwierigkeiten gab es nur mit meinen falschen Busen. Robi trug sie normalerweise in der Tasche, wenn wir nach Hause kamen, aber einmal, nach einem besonders aufregenden Film, hatte ich vergessen, sie abzumontieren. Kruse, den wir vor dem Haustor trafen, guckte sich die Augen aus dem Kopf. Ich war schon an die Dinger gewöhnt und ging ganz sachlich mit ihnen um. Ich blieb also ruhig vor dem Chauffeur stehen, lächelte ihn an, griff unter meinen Pulli, zauberte die Socken hervor und hielt sie Kruse hin: »Damit wir ins Kino hineingelassen werden.«

Kruse lachte, und seitdem zwinkerte er mir immer wissend zu, wenn wir uns trafen.

Mutti bemerkte es einmal und fragte mich: »Warum zwinkert dir dieser Mensch zu?«

Edwin, der dabei war, sagte rasch: »Er hat ein nervöses Augenleiden, der arme Kerl.«

»So, so«, brummte Mutti. »Und so was wird hier als Chauffeur engagiert. Ich muß mit Eva darüber reden.«

Zum Glück war unsere Mutter sehr vergeßlich und dachte bald nicht mehr an ihr Vorhaben. Und das war gut so, denn ich glaube, irgendeine Bemerkung meiner Mutter gegenüber Tante Eva hätte für Kruse unangenehme Konsequenzen gehabt.

Mir war schon am ersten Tag aufgefallen, daß das Dienstpersonal hier ganz anders behandelt wurde als bei uns auf dem Dorf. Bei uns waren sie auch Bedienstete, aber irgendwie gehörten sie doch zur Familie. Hier wurden sie kühl von oben herab behandelt. Es gab kaum ein privates Wort, nur Befehle, wenn auch höflich vorgebracht.

Die Dienstboten benahmen sich ähnlich: höflich, aber zurückhaltend. Manchmal sogar fast feindselig.

Edwin verstand sich mit ihnen am besten. Ich habe nie erlebt, daß er nach ihnen geklingelt hätte. Wenn er etwas brauchte, ging er in die Küche und holte es sich selbst. Den Chauffeur nannte er manchmal »Genosse Kruse«, was dieser mit einem freundlichen Grinsen quittierte.

Ins Theater gingen wir als eine geschlossene Familie, sechs Mann hoch, und hatten immer eine ganze Loge für uns. Der Theaterdirektor Max Reinhardt war ein Freund von Onkel Herbert. Ich hörte einmal, wie Tante Eva Mutti erzählte: »Herbert steckt so viel Geld in Reinhardts Theater, einmal wird es bestimmt schiefgehen.«

Mutti hatte das Besuchsprogramm zusammengestellt: Goethe, Schiller, Shakespeare — ›Faust‹, ›Kabale und Liebe‹, ›Sommernachtstraum‹. Für uns arme Provinzkinder aus Schlesien, die bis dahin nur Laienaufführungen oder Vorstellungen von Wanderbühnen im Saal des Gemeindehauses von Prausnitz gesehen hatten, war jede Vorstellung ein Erlebnis. Nur Edwin meuterte, denn er meinte, daß wir auch moderne Stücke kennenlernen müßten. Er schwärmte für einen Autor, der Georg Kaiser hieß — wir sollten uns unbedingt sein Stück ›Von morgens bis mitternachts‹ ansehen. Tante Eva erklärte ihn schlichtweg für verrückt.

Und ein bißchen verrückt war Edwin schon, vor allem mit seinen Fotoapparaten. Er hatte drei Stück, die er sich manchmal alle umhängte, wenn wir einen Ausflug oder einen Kurfürstendammbummel machten. Er wollte Pressefotograf werden — das wäre der Beruf der Zukunft, behauptete er. Er knipste ihm völlig unbekannte Leute, die ihm irgendwie aufgefallen waren.

Einmal gab es beinahe eine Schlägerei, als er im Dahlemer Park ein Liebespaar fotografiert hatte. Der Mann packte Edwin am Kragen und wollte ihm die Kamera entreißen.

»Mensch, wir sind verheiratet!«

»Dann ist ja alles in Ordnung«, sagte Edwin.

»Aber nicht miteinander!« brüllte der Mann.

Schließlich mußte Edwin ihm die Filmrolle herausgeben.

Gartenfest bei Pelzhändlers

Gleich nach unserer Ankunft hatte Tante Eva davon gesprochen, daß sie Mutti zu Ehren eine Gesellschaft geben wollte. Aber leider seien die wichtigen Leute, an die sie gedacht hatte, verreist. »Sylt oder Norderney«, erklärte sie. »Zu dieser Jahreszeit sitzt kein vernünftiger Mensch in Berlin.«

»Es sei denn, der Mensch bekommt Besuch aus Schlesien«, konnte sich Edwin zur allgemeinen Empörung nicht verkneifen zu sagen.

Nur ich kicherte. Robi und ich, wir mochten Edwin immer mehr und waren schnell daraufgekommen, daß hinter seinen boshaften Bemerkungen mehr Witz als Bösartigkeit steckte.

»Er ist eben ein echter Berliner mit einer Berliner Schnauze, auch wenn er sich normalerweise verstellt und hochdeutsch spricht«, meinte Onkel Herbert.

Edwin versuchte uns das Berlinische beizubringen. Es begann damit, daß er, nachdem wir Lya de Putti im Kino gesehen hatten, zu Robi sagte: »Bei der sieht man, det is'n Aas!«

Wir verstanden ihn nicht, und so übersetzte er uns

das Wort »Aas« mit »Biest«. Das begriffen wir. Als wir nach Hause kamen und niemand antrafen, rief Edwin aus: »Keen Aas zu Hause!«

So erfuhren wir, daß »Aas« nicht immer »Biest« heißen muß. Wir lernten, unter anderem, daß »Wurscht« nicht unbedingt etwas Eßbares, »Steppke« ein kleiner Junge ist, »Strippe« für Bindfaden steht und »von wejen« eine starke Ablehnung bedeutet.

Eine starke Ablehnung gegen unsere Sprachübungen hatte allerdings Mutti. Als sie uns eines Morgens beim Frühstück »Knüppel« und »Schrippe« verlangen hörte, ermahnte sie uns: »Hochdeutsch bleibt Hochdeutsch.«

Womit sie sicher recht hatte...

Hochdeutsch sprachen fast alle Leute, die Tante Evas erster Einladung folgten. Etwa zehn Ehepaare kamen, alle ohne Kinder. Wir trudelten zwischen den Erwachsenen herum und mußten immer die gleichen Fragen beantworten. Es waren auch zwei Herren ohne Frauen da. Beide scharwenzelten dauernd um Mutti herum, aber ich hatte nicht das Gefühl, daß sie sich etwas aus ihnen machte. Sie trug die ganze Zeit ihre undurchsichtige Miene zur Schau, die auf Desinteresse hindeutete.

Es war ein langweiliger Abend.

Einige Tage später waren wir an einem Sonntagnachmittag bei dem Besitzer eines großen Pelzwarenhauses — besser gesagt: bei seiner Frau — zu einem Gartenfest eingeladen. Tante Eva wollte nicht hingehen, aber Onkel Herbert überredete sie. Der Pelzhändler war ein wichtiger Kunde des Bankhauses.

Es war ein riesiges Fest in einem riesigen Park, mit über hundert Gästen und ungefähr genausoviel Dienern, die mit silbernen Tabletts zwischen den Gästen umhergingen und Sandwiches und Getränke servierten.

Kinder waren auch da, aber die meisten waren uns zu klein. Wir spielten nicht mit ihnen, sondern gingen mit Edwin auf den gepflegten Wegen spazieren. Der Park war mit dichtem Gebüsch und einem hohen Eisengitter umzäunt. Als wir an einer Stelle vorbeikamen, wo das Gebüsch nicht so dicht war, entdeckten wir einige Kinder auf der Straße, die uns neugierig anstarrten. Sie waren schlecht angezogen und sahen mager aus. Bei ihrem Anblick sind mir die Geschichten von Charles Dickens eingefallen, der oft die Armut solcher Kinder beschrieben hat.

Ein größerer Junge rief durch den Zaun: »Habt ihr nicht paar Stullen für uns?«

Edwin überlegte nicht lange. »Wartet hier!« Dann klärte er uns auf: »Stullen sind belegte Brote. Kommt mit, wir bringen denen welche. Die haben Hunger.«

In der Halle, die jetzt leer war, da die Gäste sich alle draußen aufhielten, stand ein großes Buffet, beladen mit Leckerbissen. Edwin, der schon des öfteren hier gewesen war und sich auskannte, befahl uns zu warten. Dann verschwand er und kam nach kurzer Zeit mit einem Korb zurück.

Es gelang uns, den Korb unbemerkt zu füllen und sicher auf Schleichwegen zu den wartenden Kindern zu kommen. Doch der Korb war zu groß, wir konnten ihn nicht durch die Gitterstäbe hinausreichen. Die Kinder griffen mit ihren schmutzigen Händen von außen nach den Sandwiches, Hühnerkeulen, Bouletten und anderen kulinarischen Kostbarkeiten. Sie drängelten und stießen sich gegenseitig vom Futterkorb weg, beschimpften sich, soweit das mit vollem Mund möglich war. In einer Minute war der Korb leer.

Zum ersten Mal in meinem Leben sah ich, was es heißt, wirklich hungrig zu sein.

Gegen Abend, als es kühler wurde, zogen sich die Gäste langsam ins Haus zurück. Ich ebenfalls, Edwin und Robi blieben noch draußen.

Als ich gerade allein durch ein Zimmer ging, sprach mich eine sehr hübsche Dame an.

»Bist du nicht die kleine Henriette von Preewitz?« Als ich die Frage bejahte, zog sie mich zu sich auf die Récamière, auf der sie saß.

»Ich kenne deinen Vater sehr gut«, sagte sie mit ihrer angenehmen, melodischen Stimme. »Hörst du oft von ihm?«

Ich mußte den Kopf schütteln.

»Er korrespondierte nur mit Hannes, solange er bei uns war«, antwortete ich, hatte aber gleich das Gefühl, ich hätte das nicht sagen sollen.

Die Dame wunderte sich.

»Hannes? Dein Bruder heißt doch Robert?«

Ich klärte sie über Hannes auf. Sie erkundigte sich, ob Filou noch am Leben sei. Bevor ich antworten konnte, standen plötzlich Mutti und Tante Eva neben uns. Mutti war wie zu Eis erstarrt und schaute die hübsche Dame konsterniert an.

Diese erhob sich und lächelte Mutti freundlich zu. »Du hast eine reizende Tochter, Elisabeth.« Dann gab sie mir die Hand: »Auf Wiedersehen, mein Kind.«

Ich sprang auf, nahm ihre Hand und machte meinen Knicks.

Nachdem die Dame gegangen war, blitzte mich Mutti an. »Was wollte sie von dir?«

Ich zuckte die Schultern. »Gar nichts. Sie erzählte mir nur, daß sie Papa gut kennt.«

»Eine Unverschämtheit!« rief Mutti aus, dann zischte sie Eva an: »Ich finde es unerhört, daß diese Person und ich zusammen eingeladen werden.«

Tante Eva wurde böse. »Jetzt halt mal die Luft an! Eure Affäre liegt zehn Jahre zurück. Sabine kennt weder dich noch Katharina aus den früheren Zeiten. Katharina ist eingeladen worden, weil sie mit dem Rechtsanwalt Reinwald verheiratet ist, und dich habe ich mitgenommen.«

»Ich bin dir sehr dankbar dafür!« höhnte meine Mutter.

Sie sprachen dann plötzlich ungarisch weiter, und ich verstand kein Wort mehr. Trotzdem wußte ich nun, wer die hübsche Dame war: Katharina Rochow, von der mir Hedwiga erzählt hatte, die Frau, die in meinen Vater verliebt war und angeblich die bösen anonymen Briefe geschrieben hatte. Ich konnte es einfach nicht glauben — sie sah so sanft und freundlich aus.

Mutti und Tante Eva stritten sich noch eine Weile auf ungarisch, dann fuhren wir bald nach Hause.

Am nächsten Morgen brachte uns Kruse zum Blau-Weiß-Club. Onkel Herbert kam nicht zum Tennisspielen mit, er war schon früher in die Stadt gefahren, da er eine Besprechung mit seinem Anwalt hatte, wie uns Kruse erzählte.

Zu unserer Überraschung saß Onkel Herbert bereits am Frühstückstisch, als wir vom Tennisclub zurückkehrten. Als wir allerdings ganz nahe an den Tisch herantraten, sah ich, daß es nicht Onkel Herbert war.

Edwin stellte den Unbekannten stolz vor: »Mein Vater, der Zuchthäusler.«

Edwins Vater, Onkel Otto, schaute mich lächelnd an. »Gibst du einem Zuchthäusler die Hand?«

Ich war sehr verlegen, wußte nicht, was ich machen sollte, sagte lieber gar nichts und reichte ihm stumm die Hand.

Robi tat das gleiche, aber nicht stumm, bei ihm brach die Neugierde wieder durch. »Du mußt mir erzählen, Onkel Otto, wie das ist, wenn man im Gefängnis sitzt.«

Onkel Otto sah genauso aus wie sein Zwillingsbruder, nur war er nicht so braun wie Onkel Herbert, wie sich gleich herausstellte, als Onkel Herbert ins Frühstückszimmer kam und sich neben seinen Bruder setzte.

An dem Tisch war offenbar vor unserer Ankunft schon eine Debatte im Gange gewesen, die Tante Eva wieder aufnahm.

»Du solltest Herbert wirklich dankbar sein, Otto. Er hat Gott und die Welt in Bewegung gesetzt und seinen ganzen Einfluß geltend machen müssen, damit du früher herauskamst.«

»Ich bin ihm auch dankbar, Eva«, erwiderte Onkel Otto. »Ich bin froh und glücklich, daß ich draußen bin — andererseits aber ärgere ich mich auch darüber.«

»Aber warum?« fuhr Tante Eva auf.

»Aus prinzipiellen Gründen«, erklärte Onkel Otto. »Ein Staat, in dem ein rechtmäßig Verurteilter früher entlassen wird, nur weil er die Protektion eines Bankiers hat, ist nicht in Ordnung.«

Onkel Herbert lachte.

»Natürlich ist er nicht in Ordnung. Aber er ist noch jung, du mußt ihm Zeit lassen, sich zu ordnen. Die Sünden des Kaisers, der Höflinge und der Generäle können nicht in wenigen Jahren ungeschehen gemacht werden.«

Dieses Gespräch, wenn ich seinen Sinn auch nicht verstand, blieb mir noch lange im Gedächtnis.

Onkel Otto hielt sich nur eine Nacht bei uns auf; am nächsten Tag zog er mit Edwin wieder in seine Wohnung.

Zwei Tage später waren unsere Ferien zu Ende.

Dollarsegen

Schön war es in Berlin gewesen, interessant und aufregend. Die breiten Straßen, die großen Häuser, die einstöckigen Autobusse, die Stadtbahn, die über die Köpfe der Menschen hinwegdonnerte, die U-Bahn, die unter unseren Füßen fuhr, Theater und Kinos, das Tennisspielen im Blau-Weiß-Club, Onkel Herberts Geschenke, Edwins Frechheiten die Ausflüge nach Potsdam und Werder — alles war wunderschön gewesen.

Aber ich war doch glücklich, als ich wieder zu Hause war.

Großvater holte uns vom Bahnhof ab. Für Mutti hatte er Blumen mitgebracht, und er umarmte und küßte sie.

Robi und ich trugen unsere neuen Sachen aus Berlin.

Großvater musterte uns von Kopf bis Fuß und stöhnte: »Mein Gott, ihr seht ja aus wie Piefkes!«

Dann gab es aber doch noch Umarmungen und Küsse.

Den Bolko Drewnik, den Nachfolger von Hannes, der unsere Koffer holte, hatte ich im ersten Augenblick nicht wiedererkannt. Er trug eine Art Livree:

nagelneue Stiefel, Reithosen und eine einreihige graue Jacke.

Mutti wunderte sich über diesen Aufzug und fragte Großvater: »Hast du den neu eingekleidet?«

Großvater rief aus: »Wo werd' ich denn! Er hat sich alles selber gekauft. Er hat in der Lotterie gewonnen.« Aber er schmunzelte dabei verschmitzt.

In der Kutsche überfielen wir Großvater mit Fragen. Eigentlich hätten wir, die Weitgereisten, erzählen müssen, aber wir wollten wissen, wie es den Unseren ging: Cigány, Filou, Romeo und Julia, Risi-Bisi, Hedwiga, Onkel Malzahn, und so weiter.

Bei der Frage nach Onkel Malzahn verzog Großvater sein Gesicht. »Mit dem ist nicht mehr viel los. Er will von den Menschen noch weniger wissen als bisher. Jetzt sagt er nicht einmal mehr ja oder nein, wenn man ihn etwas fragt. Ich frage ihn auch nichts mehr.«

Als wir in den Park einbogen, schien dort ein fremdes Haus zu stehen. Ich dachte zuerst, Bolko hätte den Weg verfehlt, aber dann erkannte ich doch unser Haus wieder — es war frisch angestrichen, gelb, die Fensterläden grün.

Mutti schnappte nach Luft: »Neu gestrichen! Sieht aus wie Schloß Schönbrunn.«

Robi bemerkte: »Das hat sicher auch Bolko aus seinem Lotteriegewinn bezahlt.«

»Nein, Rübezahl«, lachte Großvater. »Ihr habt ja keine Ahnung, was der Dollar wert ist. In Breslau kannst du für dreißig Dollar ein Haus kaufen.«

Im Innern des Hauses strahlte auch alles wie neu. Großvater führte uns auf die Terrasse, von wo die Stallungen zu sehen waren, die ebenfalls im neuen Glanz erstrahlten.

»Ich habe alles machen lassen, solange der Dollar noch seine Zauberkraft hat. Der Spuk wird nämlich bald vorbei sein.«

»Woher willst du das wissen?« fragte Mutti.

»Ich war einen Tag in Breslau beim Notar, ich mußte ihm deine Dokumente bringen. Im ›Monopol‹ habe ich einen Schulfreund getroffen, mit dem schönen Namen Horace Greely Hjalmar Schacht. Er ist Direktor in der Darmstädter und Nationalbank, und er hat mir gesagt, daß bereits Pläne für die Stabilisierung der Mark vorliegen.«

»Was bedeutet das — ›Stabilisierung?‹ wollte der wissensdurstige Robi erklärt bekommen.

»Daß die Mark wieder ihren festen Wert hat und die Leute mit dem Dollar nicht mehr verrückt spielen können. Wenn heute einer spitzkriegt, daß du Dollar hast, rennen sie dir die Türe ein. Du mußt kaufen, ob du nun willst oder nicht. Der

Bucheim, zum Beispiel, der Pferdezüchter, hat mir eine Vollblutstute angedreht. Mit Fohlen.«

Robert und ich riefen wie aus einem Mund: »Ein Fohlen?«

Großvater schmunzelte: »Es steht im Stall, Antonius heißt es.«

Wir rannten die Treppen hinunter und stolperten über Cigány, der uns freudig kläffend begrüßte. Er gebärdete sich wie verrückt und sprang um uns herum, als wir zum Stall liefen.

Antonius war ein süßes Kerlchen, aber scheu. Ängstlich versteckte er sich hinter seiner Mutter, die uns mißtrauisch beäugte. Die schönsten Zungenschnalzer verfehlten ihre Wirkung. Antonius erlag den Lockungen nicht und wollte von uns nichts wissen. Wir wußten, daß er eventuell mit einigen Leckerbissen zu den Boxentüren gebracht werden könnte, aber wir hatten leider nichts bei uns.

Wir besuchten noch die anderen Pferde im Stall, und schließlich suchten wir die Koppel auf, um Filou zu begrüßen.

Pferde können ihre Freude nicht so deutlich zeigen wie Hunde, aber Filou wieherte, als er uns erkannte, und scharrte mit der rechten Vorderhand. Dies bedeutete allerdings, daß er seinen Apfel haben wollte, den ich ihm sonst immer mitbrachte. Ich hatte ein schlechtes Gewissen, weil ich in der Eile nicht daran gedacht hatte.

Wir besuchten die Martha Malzahn in ihrer Küche. Sie weichte gerade Maiskörner in einer alten Blechdose für die Gänse ein. Schlimm sah sie aus; ihr Gesicht und ihre Hände waren dick geschwollen.

»Der Franzek kümmert sich nicht mehr um die Bienenstöcke«, beklagte sie sich. »Und mich stechen die Biester.«

»Wo ist Onkel Malzahn?«

Sie zuckte die Schultern. »Ich sehe ihn kaum noch. Tags nicht und nachts nicht. Nur wenn er Hunger hat.« Sie schwieg eine Weile, dann tippte sie sich mit dem Zeigefinger gegen die Stirn und brummte: »Völlig bematscht ist er. Jeden Tag geht er in die Kirche. Früher ging er nicht einmal sonntags hin. Ich habe nichts gegen den lieben Gott, aber Hochwürden setzt ihm literweise Schnaps vor.«

In Hedwigas Küche gab es einen erfreulicheren Empfang, mit frischgebackenem Streuselkuchen und neugierigen Fragen nach Potsdam, nach Berlin und vor allem danach, was wir alles gegessen hatten.

Wir zählten alles auf, und Hedwiga nickte immer wieder. »Das kenn ich ... das kenn ich auch.«

Mathilda, Lieschens Nachfolgerin, war dabei und

bekam den Mund nicht mehr zu, als sie meine Aufzählung hörte: Bouillabaisse, Chateaubriand, Tournedos Rossini, Hummer, Savarin, Crêpes Suzettes und ähnliches mehr. Als ich ihr maßlos erstauntes Gesicht sah, war ich nahe dran zuzugeben, daß ich auch Stunden gebraucht hatte, die Namen zu lernen, aber dann ließ ich es lieber. Für ein Kind ist es stets angenehm, sich einem Erwachsenen überlegen zu fühlen.

Ich erzählte Hedwiga, daß ich Katharina Rochow kennengelernt hätte und daß sie jetzt Frau Dr. Reinwald heiße.

»Der Trottel hat sie also geheiratet«, entschlüpfte es Hedwiga.

Ich nahm die schöne Katharina in Schutz. »Ich finde sie sehr hübsch.«

»Sie ist eine Schlange«, schloß Hedwiga das Gespräch ab.

Nach dem Abendessen zeigte uns Großvater den Stammbaum von Antonius. Mit vollem Namen hieß der kleine Hengst Antonius von Hannibal, aus der Antonia. Großvater erzählte uns, daß in Deutschland die Namen der Vollblutpferde, die in das amtliche Zuchtbuch eingetragen werden sollen, immer den Anfangsbuchstaben der Mutter tragen müssen.

»Und Antonius soll in das Zuchtbuch«, erklärte Großvater. »Er steht hoch im Blut, wir werden ihn auf der Rennbahn laufen lassen.«

Robi hatte noch eine Menge Fragen in petto, über Vollblüter und Galopprennen, Fragen, die mich wenig interessierten, und so schlich ich mich in die Küche zu Hedwiga. Ich wußte nämlich, daß sie Plätzchen backen wollte.

Der neue Lehrer

Ich hatte mir eingebildet, daß in der Schule die ganze Klasse sich auf mich stürzen würde, um mich über Berlin auszufragen. Nichts dergleichen geschah. Nur meine Freundin, die Angeline Kiederlich, fragte mir Löcher in den Bauch, und sie erzählte mir auch, die anderen hätten sich abgesprochen, so zu tun, als ob sie gar nicht wüßten, daß ich drei Wochen in der Hauptstadt verbracht hatte.

Aufgehetzt hatte sie meine Intimfeindin, die Elvira Borowecz, die Tochter eines polnischen Greißlers: »Wir werden die ›Baronesse‹ einfach ignorieren. Sie soll sich nicht einbilden, daß wir auf sie wegen ihrer Berlin-Reise neidisch sind.«

An der Feindschaft zwischen mir und der Elvira war Robi schuld. Borowecz hatte sich auf seinem Firmenschild natürlich nicht als Greißler bezeichnet, sondern als Kurzwarenhändler. Und da seine Tochter nur 1,58 Meter maß, witzelte einmal mein Bruder: »Die kürzeste Ware in Boroweczs Laden ist die Elvira.«

Robi konnte sie nichts anhaben, darum nahm sie stellvertretend mich aufs Korn, wo sie nur konnte.

Mein Bruder hatte in seiner Klasse mehr Erfolg als ich, aber er hatte sich auch besser gerüstet, indem er von Lya de Putti und anderen weiblichen Stars einen Stoß Fotos, die Edwin in Berlin beschafft hatte, in die Schule mitnahm. Die Bilder gingen von Hand zu Hand, einige verschwanden sogar in fremden Taschen — jedenfalls war Robi tagelang der populärste Junge in seiner Klasse, und nicht nur dort, auch Schüler aus den höheren Regionen kamen zu ihm und ließen sich die Bilder zeigen.

Ja, sogar Joachim Deckel, ein Lehrer, der neu an unserer Schule war, sprach ihn auf die Bilder an. Robi erschrak zuerst, er dachte, die geliebten Damen würden konfisziert werden. Aber der junge, gutaussehende Lehrer, Schwarm aller Mädchen an der Schule, betrachtete die Bilder mit großem Interesse und sagte dann zu Robi: »Soll ich dir sagen, welche dir am besten gefällt?«

Robi nickte, und der Lehrer zeigte auf ein Bild von der Putti und sagte lachend: »Das sieht doch ein Blinder mit dem Krückstock — von der schönen Lya hast du zwölf Bilder, von den anderen Damen je eins oder höchstens zwei.« Er schaute sich die Fotos von der Putti an und fügte anerkennend hinzu: »Wir haben den gleichen Geschmack, mir gefällt sie auch am besten.«

Von dieser Sekunde an schwärmte Robi für den

Lehrer Deckel, und zwar auf Berlinerisch: »Er ist knorke«, sagte er zu mir.

Dieser Ansicht mußte auch unsere Klassenlehrerin, Fräulein Schuster, gewesen sein. Bald sah man die beiden in den Pausen immer zusammen, nach Schulschluß gingen sie gemeinsam spazieren oder einen Muckefuck trinken in der einzigen Konditorei. Schon nach kurzer Zeit bekam der neue Lehrer den Spitznamen: Fräulein Schusters Deckel. Damals verstand ich nicht, was damit gemeint war, ich fand es einfach lustig.

Der Wilddieb

Seit der Affäre mit dem Zigarettenetui war das Verhältnis zwischen dem Grafen H. und Großvater besser geworden. Freunde wurden sie zwar nicht, aber sie redeten öfters miteinander, wenn es aus irgendeinem Grunde notwendig war.

Diesmal ging es um die Wilddiebe, die immer dreister wurden, wie Graf H. sagte. Er hatte den größten Waldbesitz in der Gegend und ging regelmäßig auf die Jagd, was Großvater viel seltener tat, da sein Jagdrevier viel bescheidener war. Wir hatten nicht einmal einen eigenen Förster, dafür hatte der H. zwei. Einer von ihnen, der kleine Bühler, durchstreifte auch unseren Wald, aber nur »schwarz«, ohne daß sein Brötchengeber etwas davon wußte. Unser Verwalter, der Krukofka, der unseren Schweinebestand so geschickt zu vergrößern verstanden hatte, hatte insgeheim ein Abkommen mit ihm getroffen. Großvater hatte — angeblich — keine Ahnung. Als er davon erfuhr, duldete er die Sache stillschweigend.

Eines Morgens erschien der H. mit dem kleinen Bühler. Ich dachte, jetzt würde es eine peinlich

Aussprache wegen der Schwarzarbeit des Försters geben, aber das Gegenteil geschah.

»Ich hoffe, du hast nichts dagegen, Nachbar, daß ich den Bühler beauftragt habe, auch dein Waldstückchen im Auge zu behalten«, erklärte der Graf, der mit dem »Waldstückchen« Großvater, trotz aller Versöhnung, doch noch eins auswischen wollte.

Großvater schluckte die Anspielung und sagte grinsend: »Nun ja, wenn das dem Herrn Bühler nicht zuviel ist!«

»Nein, nein, bestimmt nicht. Ich mache das gern«, versicherte der Förster und grinste ebenfalls.

Der H. legte los: »Es ist nämlich ungeheuerlich, wie frech die Wilddiebe wieder geworden sind. Kaum bin ich im Wald, finde ich Spuren von erlegtem Wild. Und der Bühler hat bei zwei Rehfamilien festgestellt, daß sie in den letzten Wochen auf die Hälfte zusammengeschrumpft sind. Wenn es so weiter geht, wird noch der ganze Wildbestand ausgerottet.«

»Davon habe ich schon gehört«, bestätigte Großvater. »Aber wieso faßt du sie nicht? Du kennst doch deine Pappenheimer, du hast ja schon einige Wilddiebe zur Strecke gebracht.«

Graf H. winkte ab. »Die sind es nicht. Der Petkowski ist nach Beuthen verzogen, der alte Brylka sitzt, und der junge hat geheiratet, die Tochter von Mitschura.«

»Diese alte Xanthippe?« wunderte sich Großvater. Graf H. lachte. »Ja, aber eine Xanthippe mit Geld. Jedenfalls darf der Brylka nicht einmal aufs Häusl ohne Aufsicht. Stundenlang wegbleiben in der Nacht kann er nicht mehr.«

»Vielleicht wildert die Mitschura mit«, meinte Großvater. Dann, bei dem obligaten Korn, sagte er: »Ich danke dir jedenfalls für den Bühler. Hast du was dagegen, wenn er bei mir ein wenig Zubrot verdient?«

»Bestimmt nicht«, versicherte der Graf. »Wenn du jetzt nichts gesagt hättest, hätte ich dich noch darauf angesprochen. Du sollst ja in Dollars schwimmen, erzählt man sich.«

Am nächsten Tag berichtete Großvater lachend meiner Mutter, daß unser sparsamer Krukofka das »Zubrot« von dem Förster unbedingt hatte drücken wollen. Legal verdiene man weniger als schwarz, meinte er.

Der dreiste Wilddieb wurde eines Tages unter seltsamen Umständen gefaßt. An einem Montagnachmittag, als wir gerade am Kaffeetisch saßen, erschien Hochwürden Mazurek und erklärte freundlich, er sei bei uns zum Mohnkuchen eingeladen. Es gab tatsächlich Mohnkuchen, und Mutter bat den Pfarrer, Platz zu nehmen.

Es stellte sich heraus, daß die Einladung von Hedwiga ausgegangen war. Hochwürden erzählte: »Gestern traf ich Hedwiga nach dem Kirchgang. Ich sagte ihr, daß ich in den nächsten Tagen unbedingt den Herrn Baron aufsuchen müsse, um mich für seine Großzügigkeit zu bedanken. Da sagte sie zu mir, ich möchte heute kommen, es gäbe Mohnkuchen, und den esse ich so gern.«

Mutti behauptete, es wäre von Hedwiga sehr vernünftig gewesen, ihn einzuladen. Aber Großvater wollte wissen, ob Hochwürden ihn mit der »Großzügigkeit« verspotten wolle.

Hochwürden protestierte: »Aber nicht doch, Herr Baron! Sie haben mich Woche für Woche großzügig beschenkt. Ich konnte nicht alles selber verbrauchen und habe einiges an Bedürftige weitergegeben.«

Großvater sah den Pfarrer verständnislos an. »Was haben Sie weitergegegeben?«

»Mal eine Keule, mal ein Stück vom Rücken. Je nachdem.«

»Eine Keule von was?« staunte Großvater.

»Na, vom Rehwild«, sagte der Pfarrer, »das Sie mir großzügigerweise geschickt haben. In zwei Monaten sechs Stück.«

Wir blickten uns alle an, und meine ahnungslose Mutter rief aus: »Jetzt, in der Schonzeit?«

Großvater ging darauf nicht ein, sondern fragte freundlich, aber lauernd: »Wer hat Ihnen die Viecher gebracht, Hochwürden?«

»Der Franzek Malzahn. Wissen Sie das denn nicht?«

Großvater schlug mit der flachen Hand auf den Tisch, daß das Kaffeegeschirr schepperte. »Der hat wohl den Verstand verloren!«

Er sprang vom Tisch auf. »Ich muß mir den Kerl gleich vornehmen«, rief er wütend aus, und dann wandte er sich an den Pfarrer: »Sie, Hochwürden, kommen am besten mit, vielleicht benötigt er die letzte Ölung!«

Erschrocken schluckte der Pfarrer rasch den Rest seines Mohnkuchens hinunter und lief Großvater nach, der mit großen Schritten vorauseilte.

Mutti war ehrlich bestürzt.

»Ich bin völlig konsterniert!« sagte sie und seufzte. »Völlig konsterniert!«

Ich glaubte ihr aufs Wort, auch ohne die Wiederholung, denn Robi und ich, wir kannten sie ziemlich genau, schon bevor Tante Eva uns einmal gewarnt hatte: »Ihr müßt auf eure Mutter sehr gut aufpassen — der kleinste Wellenschlag des Lebens kann sie umwerfen.«

Ich erzählte Mutti, daß Martha Malzahn schon lange der Meinung wäre, ihr Mann sei »völlig bematscht«. Offenbar hatte sie recht.

Robi holte Großvaters scharfes Jagdglas, und wir beobachteten von der Terrasse aus, was sich bei Malzahns Haus abspielte.

Zuerst blieb alles ruhig. Später kam Großvater heraus und ging zu den Stallungen. Hier half er Bolko, die geschlossene Kutsche herauszuschieben, dann ging er wieder zurück ins Haus, und Bolko spannte die Pferde ein. Bolko führte die Kutsche vor Malzahns Haustür, Franzek kam, friedlich seine Pfeife rauchend, mit Großvater und Pfarrer Mazurek heraus und setzte sich mit den beiden in die Kutsche.

Als sie abgefahren waren, erschien Martha Malzahn auf der Schwelle und schaute der Kutsche nach. Sie weinte. Wir sahen, wie sie sich mit der Schürze ihre Tränen abtrocknete.

Als wir hörten, wie die Kutsche vor unserer Tür vorfuhr, und hinauslaufen wollten, hielt Mutti uns zurück. Einige Minuten später kam Großvater herein.

»Ich muß mir etwas Geld einstecken«, sagte er.

»Was ist mit Onkel Franzek?« fragte ich.

»Er ist krank im Kopf«, erklärte Großvater, »einwandfrei geistesgestört. Mich hat er gar nicht mehr erkannt. Den Pfarrer ja, wahrscheinlich wegen der Soutane. Wir bringen ihn zu Doktor Kanturek.«

»Versteht der Kanturek denn etwas von Geisteskrankheit?« fragte Mutti zweifelnd.

»Bestimmt nicht«, antwortete Großvater, »aber er ist schließlich der Amtsarzt.«

Großvater wollte in sein Arbeitszimmer, wo er in einer eisernen Kassette sein Bargeld aufbewahrte, aber bevor er hinausging, drehte er sich noch einmal um. »Wartet nicht mit dem Abendessen auf mich.«

Er kam so gegen zehn Uhr nach Hause. Wir waren noch auf, Mutti hatte es uns erlaubt, da sie nicht allein warten wollte. Großvater roch nach Schnaps.

»Der Quacksalber und der Pfaffe bringen den armen Kerl nach Breslau in eine Anstalt. Er hat Lieschens Tod nicht verkraften können und den Verstand verloren. Sogar einen Korn hat er abgelehnt — das wäre Sünde, meinte er. Verrückt. Eine Art von religiösem Wahnsinn.«

»Wer sagte das?« fragte Mutter. »Der Doktor Kanturek?«

»Nein, der Veterinär Doktor Paczensky. Er war beim Kanturek. Hat in Berlin studiert und scheint einiges auf dem Kasten zu haben.«

Mutti schüttelte verständnislos den Kopf. »Warum hat er bloß gewildert? Und warum hat er seine Beute dem Pfarrer geschenkt?«

Großvater grinste. »Er hat einmal in einem Buch gelesen, daß in früheren Zeiten die Menschen Tiere für ihre Götter opferten. Mazurek ist zwar kein Gott, aber immerhin sein Verbindungsmann. Er sollte für Lieschens Seelenheil beten.«

Plötzlich entdeckte er mich und Robi, mäuschenstill in einer Ecke sitzend, und brüllte uns an: »Marsch ins Bett!«

Lange konnte ich nicht einschlafen. Ich lag im Bett, starrte an die Decke und dachte darüber nach, wie schrecklich das sein muß, wenn jemand seine Angehörigen oder seine besten Freunde nicht mehr erkennt. Ich malte mir aus, daß Robi plötzlich nicht mehr weiß, wer ich bin. Oder Großvater. Oder gar Mutti.

Ich sah mich auf den Akazienwald zugehen. Onkel Franzek kam mir entgegen, aber er erkannte mich nicht und schickte mich weg. Als ich nicht gehen wollte, hetzte er einen Bienenschwarm auf mich. Ängstlich lief ich davon und lief und lief, bis ich in unseren Bach stürzte.

Schweißgebadet wachte ich auf.

Am Sonntag kam Großvater auch mit in die Kirche. Er forderte uns alle auf, ein Vaterunser für den unglücklichen Onkel Franzek zu beten.

»Laßt uns den lieben Gott bitten, daß er dem armen Malzahn seinen Verstand zurückgibt«, sagte er zu uns. »Viel zu tun hat er damit nicht, denn der gute Franzek hatte sehr wenig Verstand.«

Auch Großvater betete in der Kirche. Kniend, mit geschlossenen Augen.

Es war das erste Mal, daß ich ihn beten sah.

Antonius und Hannibal

Antonius wurde unser aller Liebling. Schon nach wenigen Tagen waren wir Freunde geworden, und auch Antonia hatte ihr anfängliches Mißtrauen bald überwunden und nichts dagegen, wenn wir den schlanken Hals ihres Sohnes streichelten. Diese Eroberung hat ein paar Pfund Rüben gekostet, auch einige Stück Würfelzucker, obwohl letzteren die Pferde, laut Großvater, nicht unbedingt bekommen sollten.

Antonius wußte am Anfang freilich nicht, was er mit dem merkwürdigen Würfel anfangen sollte. Er beschnupperte zwar meine Hand, als ich ihm zum erstenmal ein Stück Zucker hinhielt, aber er nahm es nicht. Anders die Stute — blitzschnell schnappte sie ihrem Sohn den Leckerbissen weg.

Damit das nicht noch einmal vorkam, stopfte ich beim nächsten Mal den süßen Würfel in das samtweiche Maul von Antonius, der ihn dann mit seiner Zunge unentschlossen hin und her schob, bis er ihn schließlich ausspuckte oder ungeschickt fallen ließ. Drei Tage später keilte er schon mit der Hinterhand nach seiner Mutter aus, wenn sie sich bei der Zuckerverteilung in unsere Nähe wagte.

Großvater kümmerte sich sehr viel um Antonius. Jede Woche einmal kam der junge Tierarzt Ulrik Paczensky, von dem Großvater sehr viel hielt, und untersuchte Antonius und Antonia. Die Abstammung des Füllens imponierte ihm sehr, und er prophezeite für ihn eine große Zukunft auf der Rennbahn — vorausgesetzt, daß er nach seinem Vater schlüge.

Mutter und Sohn hatten ihre eigene Koppel, getrennt von Filou, der jetzt naturgemäß etwas vernachlässigt wurde. Einmal kam Mutti auch mit uns, als wir Antonius besuchten. Mutti machte eine Bemerkung, worüber sogar ich lächeln mußte. »Das arme Geschöpf wächst auch ohne Vater auf«, sagte sie und seufzte.

Großvater fuhr sie an: »Sei nicht so albern! Hast du je gesehen, daß ein Fohlen von einem Hengst aufgezogen wurde?«

Wir schwiegen alle, und Großvater hatte plötzlich eine Idee: »Am nächsten Sonntag fahren wir hinüber zu Isi Bucheim und besuchen den Vater von Antonius.«

Der Züchter Isi Bucheim war ein ulkiger Typ; sehr klein, kaum größer als ich, kleiner als Robi, mit O-Beinen und mit einem Gesicht, das, von Wind und Sonne gegerbt, nur aus Runzeln bestand.

Großvater hatte uns schon während der Kutschfahrt auf die Begegnung mit ihm vorbereitet: »Bucheim war Jockey. Der einzige jüdische Jockey in der Geschichte des Galopprennens. Wenigstens bei uns in Deutschland. Er war kein guter Jockey, wie er selber zugibt. Jetzt sieht er aus wie ein hundertjähriges Baby.«

Bucheim empfing uns vor seinem Haus, küßte Mutti die Hand und stellte sich vor: »Ich heiße Isi Bucheim. Isi steht für Isidor. Ich sage es Ihnen gleich, verehrte Baronin, damit Sie nicht versehentlich auf die Juden schimpfen.«

Dies sagte Bucheim sehr freundlich, aber Mutti hatte noch nie viel Humor gehabt und protestierte gleich ernsthaft. »Meine Schwester ist mit einem Juden verheiratet, Herr Bucheim.«

Bucheim zog die Augenbrauen hoch. »So? Dann haben Sie vielleicht noch mehr Grund, von den Juden eine schlechte Meinung zu haben!«

Großvater grinste, Mutti fand keine Worte, aber ich hatte das Gefühl, daß ich meinen geliebten Onkel Herbert verteidigen müßte, und mischte mich trotzig in das Gespräch.

»Wir haben unseren Onkel Herbert sehr gern. Er ist ein schöner Mann.«

»Schöner als ich?« fragte Bucheim und mußte selber lachen.

Wir wurden in ein großes Wohnzimmer geführt, wo an den Wänden lauter Pferdebilder hingen, Fotos und alte Stiche. Während die Erwachsenen sich setzten, betrachtete ich mit Robi die Bilder, Eines fiel uns besonders auf: ein alter Farbstich, der ein ausgemergeltes Pferd mit einem sehr kleinen Kopf zeigte. Das Pferd trug eine Decke, und darauf lag ein prachtvoller Sattel. ›Cham‹ stand unter dem Bild.

Robi erkundigte sich: »War das ein berühmtes Rennpferd, dieser Cham?«

»Und ob!« rief Bucheim aus. »Er war der Stammvater aller Vollblutpferde, die heute in Europa herumlaufen.«

»Er sieht so mager aus«, bemerkte ich.

»Mager? Er bestand nur aus Muskeln und Sehnen. Das Fleisch und die Haut waren nur dazu da, sie zusammenzuhalten.«

Während wir Schokolade tranken, fragte Robi: »Sie waren mal Jockey, Herr Bucheim?«

Bucheim nickte. »Ja. Aber ein miserabler. Ich hatte mir eingebildet, den Rennverlauf mathematisch berechnen zu können. Ich wollte immer mit dem Kopf gewinnen, nämlich mit dem meinen, und das war falsch. Ein guter Jockey gewinnt ein Rennen immer mit seinem Hintern.«

Unser Gastgeber bemerkte Muttis eisige Miene

nicht und forderte uns leutselig auf: »So, und jetzt statten wir Hannibal einen Besuch ab, aber vorher besichtigen wir die Absetzer.«

Ich hatte keine Ahnung, was Absetzer waren, aber nachher war ich begeistert von ihnen. Sieben Pferdekinder tummelten sich in der Koppel, kamen neugierig näher, liefen wieder weg, jagten sich gegenseitig und stolperten manchmal über ihre eigenen schlaksigen Beine.

»Man nennt sie ›Absetzer‹«, erklärte uns der Züchter, »weil man sie von ihren Müttern, von denen sie bisher ernährt worden sind, abgesetzt hat. Das geschieht immer im Frühherbst. In den ersten Tagen sind sie sehr traurig, aber später gibt sich das, wie ihr seht.«

Mir fiel eine Frage ein: »Wann hat unser Antonius eigentlich Geburtstag?«

»Am ersten Januar«, antwortete Bucheim. »Alle Pferdekinder haben am ersten Januar Geburtstag, egal, wann sie geboren sind. Man nennt sie dann Jährlinge.«

Robi gefiel das nicht. »Das ist doch ungerecht. Wenn ein Fohlen im Dezember geboren...«

Bucheim unterbrach ihn: »Das gibt es nicht. Wenigstens nicht bei Zuchtpferden. Sie kommen alle in den ersten drei, vier Monaten des Jahres zur Welt.«

Nach diesem pferdekundlichen Unterricht gingen wir zum »Pascha«, wie Bucheim, damals für mich unverständlich, Hannibal bezeichnete.

Ich habe noch nie solche Augen gesehen wie die von Hannibal II. Nicht bei einem Menschen, und auch nicht bei einem Tier. Sie sprühten Feuer, als wir uns der Koppel näherten, sahen drohend und gefährlich aus, als ob sie gleich Blitze auf uns schleudern würden. Seine Nüstern bebten, und seine Muskeln waren zum Sprung angespannt. Wir blieben in respektvoller Entfernung stehen, und Großvater fragte Mutti ironisch: »Möchtest du lieber den in unserem Stall haben statt der Stute?«

Mutti gab keine Antwort. Indessen kletterte Bucheim in die Koppel und sprach beruhigend auf Hannibal ein: »Ruhig, Hannibal, ruhig. Das bin ich nur, Onkel Isi.«

Hannibal stieg vorne hoch, wendete auf der Hinterhand und galoppierte davon.

Bucheim lachte. »Er will nichts von mir wissen. Offenbar auch ein Antisemit.«

Ein Auto namens ›Bastard‹

Als Robi und ich an einem dunklen, regnerischen Oktobertag aus der Schule kamen und in unser Zimmer gehen wollten, kam uns auf der Treppe Mutti entgegen. Sie war tiefschwarz gekleidet — wie eine trauernde Witwe sah sie aus.

Erschrocken fragte ich: »Wer ist denn gestorben, Mutti?«

Sie winkte mit einer dramatischen Geste ab, ging weiter und verschwand in Großvaters Arbeitszimmer. Wir legten unsere Schulranzen auf die Stufen und liefen in die Küche, um Hedwiga auszufragen.

Aber sie hatte keine Ahnung.

»Die Frau Baronin in Trauer? Ich wüßte nicht, warum.« Plötzlich schien ihr etwas einzufallen. »Heute kam allerdings ein dicker Brief für sie...« Hedwiga unterbrach sich: »Aber nein, das war kein Trauerbrief, er hatte keinen schwarzen Rand.«

Wir gingen wieder in die Halle zurück. Dort brauchten wir an Großvaters Tür gar nicht erst zu horchen, so laut polterte er: »Du spinnst, Elisabeth! Du spinnst wahrhaftig! Man legt wegen einer Scheidung keine Trauerkleidung an. Es ist schließlich niemand gestorben.«

»Doch. Meine Ehe ist gestorben.«

Großvater wurde wütend. »Unsinn! Du bist eine hübsche, junge Frau und siehst aus wie ein Rabe. Zieh dich gefälligst um, ich will keinen Totenvogel beim Abendessen an meinem Tisch haben.«

Mutti hatte Großvaters Ratschlag befolgt. Sie hatte zwar noch einen schwarzen Rock an, aber sie trug dazu eine grüne Seidenbluse.

An einem Sonntagnachmittag besuchte uns Isi Bucheim. Robi und ich hockten gerade im Stall bei Antonius. Es war miserables Wetter, Regen mit Schnee vermischt, und im Stall war es angenehm warm. Robi hatte sich von Großvater ein Buch über Vollblutpferde geben lassen und las das Buch meistens in der Nähe seiner Studienobjekte, bei Antonia und Antonius. Ich leistete ihm Gesellschaft und schmökerte in einem der Bücher, die ich aus der Bibliothek stibitzt hatte — Balzacs ›Glanz und Elend der Kurtisanen‹.

Plötzlich hörten wir Stimmen. Ich konnte mich noch rasch auf die ›Kurtisanen‹ setzen, als die Tür aufging und Großvater und Bucheim hereinkamen. Der Pferdezüchter freute sich, uns im Stall anzutreffen.

»Das lobe ich mir«, sagte er. »Pferde sollen wissen, daß man ihre Gesellschaft mag.«

Als er Robis Buch entdeckte, strahlte er.

»Also, Robertli, wenn du wirklich soviel Interesse für Pferde hast, dann mach ich dir einen Vorschlag: In den großen Ferien kommst du zu mir, ich werde dir alles beibringen, was du über Vollblüter wissen mußt.«

Robis Augen glänzten. »Das wäre schön!« Er schaute Großvater fragend an.

»Ich bin einverstanden«, sagte Großvater. »Aber was wird deine Mutter dazu sagen?«

»Sie wird dagegen sein«, sagte ich, »dabei würde ich auch gerne mitgehen.«

»Du bist noch zu jung«, sagte Bucheim. »Außerdem, das ist sowieso nichts für Mädchen. Der Tag auf dem Gestüt beginnt um fünf Uhr früh mit Striegeln.«

Ein Schatten huschte über Robis Gesicht, da er ein Langschläfer war, aber außer mir bemerkte es niemand.

Bucheim beäugte Antonius von allen Seiten und sagte zu Großvater: »Er müßte auch bei schlechtem Wetter jeden Tag einige Stunden draußen sein. Zu sehr verhätscheln sollte man keinen Vollblüter.« Er wandte sich an uns: »Ich habe euch einen neuen Renner mitgebracht. Er heißt Bastard, und ich habe ihn draußen vor dem Haus angebunden.«

»Bei diesem Wetter!« rief ich empört und lief als erste aus dem Stall, Robi hinterher.

Im ersten Augenblick waren wir enttäuscht: Vor dem Haus stand kein Pferd, sondern ein Automobil. Nicht so elegant wie Onkel Herberts Auto, es sah eher komisch aus. Es hieß Bastard, wie Bucheim erklärte, weil es aus Bestandteilen von verschiedenen Autos zusammengestellt war. Neu waren nur die mit Luft gefüllten Gummireifen. Bucheim pries sie als sensationelle Neuheit an.

Mutti erschien in der Tür und betrachtete den Wagen mißtrauisch. Als sie erfuhr, daß Großvater ihn gekauft hatte, erklärte sie gleich: »Da kriegen mich keine zehn Pferde hinein!«

Großvater lachte. »Die nicht, aber vielleicht meine starken Arme.«

Er wollte Mutti gleich packen, um sie in den Wagen zu setzen, aber sie verschwand schnell im Haus.

Großvater wandte sich an uns: »Wollt ihr mitfahren?«

Ohne Antwort kletterten wir blitzschnell in den Fond des Wagens.

Großvater setzte sich hinter den Volant, Bucheim neben ihn.

Großvater forderte ihn auf: »Sie müssen mir jetzt erklären, wie das Ding funktioniert.«

Robi und ich schauten uns betroffen an, aber Bucheim zeigte sich nicht überrascht und begann mit seinem theoretischen Fahrunterricht, den wir auch aufmerksam verfolgten. Wir lernten den Schalthebel kennen, der außen am Wagen angebracht war, genauso wie die Bremse.

Schon nach fünf Minuten ›Unterricht‹ fuhr Großvater los und kurvte im Park herum, übte Bremsen, Rückwärtsfahren und andere Manöver. Es klappte alles, und bald rollten wir durch das Tor, um Isi Bucheim nach Hause zu fahren. Dies gelang auch ohne Komplikationen.

Alles in allem dauerte es zwei Stunden bis wir wieder zu Hause ankamen. Mutti war schon vor lauter Nervosität in Tränen aufgelöst, sie war überzeugt, daß uns etwas zugestoßen war, und beschimpfte Großvater, wieso er das Leben seiner Enkel derart leichtfertig aufs Spiel setzen konnte. Großvater fand nichts dabei, aber er erklärte sich trotzdem bereit, Fahrunterricht zu nehmen. Das tat er dann auch. Jeden zweiten Tag fuhr er mit dem Wagen nach Breslau zum Unterricht.

Die diebische Elster

»So schnell wie dieses Jahr kam der Winter noch nie«, sagte mir der alte Martin, wobei er auf den vereisten Stufen vor dem Haus beinahe ausrutschte. Robi und ich konnten ihn im letzten Augenblick vorm Sturz bewahren. »Schnee und Eis Ende November!« schimpfte er. »Das ist nichts für meine alten Knochen.«

Auch ›Bastard‹ hatte was gegen den Winter, sehr zu Großvaters Ärger. Mutti gegenüber hatte er immer betont, er habe den Wagen in der Hauptsache gekauft, um die Pferde im Winter wegen der vereisten Straßen zu schonen, und nun mochte ›Bastard‹ ebensowenig den Winter. Manchmal war er überhaupt nicht in Gang zu bringen, und wenn er dann endlich fuhr, rutschte er hin und her, er taumelte richtig wie ein Besoffener. So passierte auch der bereits erwähnte Ausrutscher durch eine Holzplanke, und Großvater gebrauchte den albernen Spruch des Tennistrainers: »Hopp! Ein Luftloch ist auch was Schönes!«

Der Weiher, auf dem wir Schlittschuh zu laufen pflegten, war am 1. Dezember schon steinhart gefroren. Wir tummelten uns jeden Tag auf dem Eis und bewunderten Selma, die in unseren Augen eine Kunstläuferin war. Sie konnte rückwärts fahren, Sprünge machen, sich drehen wie ein Kreisel. Die Kinder stellten sich im Kreis auf und schauten Selma mit großen Augen zu. Sie hatte Kunstlaufen in St. Moritz gelernt, wo die Familie des Grafen H. jedes Jahr vier Wochen verbrachte.

Robi war mir und Selma jedesmal behilflich, unsere Schlittschuhe festzuschnallen. Selma strahlte ihn immer an und bedankte sich mit einem süßlichen »Danke, mein lieber Robi«, und dabei strich sie einmal über seine Hand.

Ich hatte schon längst bemerkt, daß Selma sich für Robi interessierte, sie gab es auch offen zu.

»Dein Bruder gefällt mir«, sagte sie einmal zu mir. »Ich bitte dich, er ist doch noch viel zu jung«, war meine Antwort.

Die Mädchen in meiner Klasse interessierten sich nicht für die Jungen aus der Schule, auch dann nicht, wenn sie zwei Jahre älter waren. Unser Schwarm war der schöne Deckel oder der Turnlehrer Thomek. Gewiß, manche ließen sich von Jungen nach Hause begleiten, es gab mal in der dunklen Durchfahrt hinter dem Tor einen schnellen Kuß, aber bestimmt nicht mehr.

Am ersten Eislauftag des Jahres fragte mich Selma: »Was meinst du, würde dein Bruder damit

einverstanden sein, daß ich ihm Kunstlaufen bei-
bringe? Das Paarlaufen ist was sehr Schönes.«

»Ich werde ihn fragen«, sagte ich.

Aber Selma hatte noch andere Probleme. »Womit
könnte ich Robert zu seinem Geburtstag eine
Freude machen?«

Ich brauchte nicht lange nachzudenken. »Mit irgend etwas, das mit Pferden zu tun hat. Er war
schon immer ein Pferdenarr, aber seitdem wir den
Antonius haben, ist er komplett verrückt. Er lebt
nur noch im Stall.«

Selma überlegte eine Sekunde, dann rief sie freudig
aus: »Da hab' ich was!« Sie küßte mich auf die
Wange. »Danke, Schatz.« Dann sprang sie auf und
begann ihre Kür.

Robi hatte am 6. Dezember Geburtstag, und so
wurde bei uns der Nikolaustag doppelt gefeiert.
Wir stellten am Abend zuvor unsere Stiefel vor
die Tür und fanden sie in der Frühe mit Süßigkei-
ten vollgestopft. Am Nachmittag wurden immer
eine Menge Kinder eingeladen, für die Hedwiga
eine Unmenge Plätzchen und Kuchen buk, darauf
bedacht, mit den legendären Backkünsten des
Herrn Bäcker zumindest gleichzuziehen.

Selma hatte Robi zum Geburtstag einen Anhänger aus Leder mit einem silbernen Steigbügel für

seine Taschenuhr geschenkt. Er war sehr hübsch, wenn auch nicht mehr ganz neu. Robi freute sich riesig, und Selma bekam zwei Küßchen auf die glühenden Wangen.

Gegen sieben Uhr abends kam dann Nikolaus höchstpersönlich zur Bescherung. Natürlich wußten wir schon lange, daß es den Nikolaus nicht gibt, wir wußten nur nie im vorhinein, wer in der roten Kutte und hinter der Maske mit dem langen weißen Bart steckte. Mal war es Großvater, mal der alte Martin oder Hannes, einmal sogar das arme Lieschen.

Großvater setzte immer eine Prämie aus für den, der die Identität vom Nikolaus erriet. Diesmal war es ein grüner Dollarschein.

Es bekam ihn niemand. Der mächtig große Nikolaus verteilte stumm seine Geschenke, manchmal brummte er oder machte »Hu!«, aber niemand kam darauf, wer er sei. Als er am Schluß seiner Darbietung die Maske abnahm, gab es ein allgemeines Erstaunen: es war Franzek Malzahn. Fröhlich schwenkte er seinen Schlapphut und verkündete: »Als geheilt entlassen!«

Er nahm mich und Robi zur Begrüßung in die Arme, und dann verdrückte er sich in die Küche, wo Hedwiga mit dem Abendessen auf ihn wartete. Später schlich ich mich in die Küche zu Onkel

Franzek. Er saß da zwischen Hedwiga und Mathilda, war bester Laune und gesprächig wie noch nie. Er erzählte von einer Krankenschwester, die Ljuba Boschinek hieß und der Onkel Franzek sein Leben verdankte. Er war schon soweit gewesen sich aufzuhängen, berichtete er. Den Baum hatte er sich schon ausgesucht gehabt, eine knorrige Eiche, und die Leiter, auf der er auf den Baum klettern wollte, stand auch schon bereit. Die Boschinek hatte ihn bei den Vorbereitungen entdeckt und ihm sein Vorhaben mit viel Liebe ausgeredet.

»Mit wieviel Liebe?« fragte Hedwiga und schaute Onkel Franzek mit strengem Blick von der Seite an.

Onkel Franzek winkte ab. »Ach, du! Was ihr Weiber immer denkt!«

Während ich in der Küche saß, waren die Kinder nacheinander abgeholt worden. Als ich wieder ins Wohnzimmer kam, waren außer meiner Familie nur noch Selma da und ihr Vater, der sie abholen wollte und auf Muttis Wunsch schnell noch Hedwigas Plätzchen begutachtete.

Er machte es wie bei einer Weinprobe, ließ ein Stück auf seiner Zunge zergehen und sagte:

»Erstklassig. Fast so gut wie die Plätzchen von meinem Adalbert.« Dann stand er grinsend auf und wandte sich an Selma: »So, mein Kind, nach dieser unverzeihlichen Unhöflichkeit werden wir wohl aufgefordert werden, zu gehen.«

Großvater winkte lachend ab. »Ich bitte dich, Matthias, so was sind wir schon von dir gewöhnt. Bleib'ruhig noch ein wenig.«

Graf H. setzte sich zögernd. »Ich habe versprochen, spätestens um zehn Uhr zu Hause zu sein.«

Stolz zog Robi seine Taschenuhr mit dem neuen Anhänger hervor. »Jetzt ist es erst neun Uhr.«

H. starrte auf den Anhänger in Robis Hand. »Das find ich aber hübsch, was du da hast. Zeig mal her.«

Robi, immer noch stolz, überreichte die Uhr dem Grafen.

Er betrachtete den silbernen Steigbügel von allen Seiten, dann sagte er schmunzelnd: »Robi, du bist doch ein Dieb. Die Zigarettendose des Kaisers hast du zwar nicht geklaut, aber das hier ja. Ich kann nur nicht verstehen, wie du an das Ding herangekommen bist.«

Eisiges Schweigen.

Plötzlich heulte Selma laut los, sprang auf und lief aus dem Zimmer, vom dröhnenden Lachen ihres Vaters begleitet.

»Dacht' ich mir's doch«, sagte der Graf und reichte Robi lachend die Uhr wieder. »Hier, du kannst den Anhänger behalten.«

Als Robi nach der Uhr greifen wollte, zog der Graf seine Hand wieder zurück und betrachtete die Uhr aufmerksam.

Großvater grollte: »Jetzt sag' bloß noch, daß die Uhr auch bei dir geklaut wurde!«

H. schüttelte den Kopf. »Ausgeschlossen. So billiges Zeug hebe ich nicht auf.« Dann fragte er Robi: »Wer hat dir die geschenkt?«

»Ich«, platzte ich wütend heraus. »Ich hatte kein Geld, etwas Teures zu kaufen.«

Graf H. stand auf und verbeugte sich vor mir. »Entschuldigen Sie, gnädiges Fräulein. Ich dachte, ich könnte es dem Geschmack deines Großvaters ankreiden.«

Großvater lachte. »Pech gehabt!«

Der Graf holte eine goldene Uhr aus der Westentasche, einen sogenannten Doppeldecker, auf einen Fingerdruck sprang ein Deckel auf, und es ertönte eine hübsche, zarte Melodie.

H. überreichte die Uhr Robi. »Hier. Das ist mein Geburtstagsgeschenk.«

Robi traute seinen Augen nicht, nur zögernd nahm er die Uhr entgegen, dann aber strahlte er. »Ich danke vielmals!«

Er reichte dem Grafen die Hand, aber gleichzeitig schaute er zu Mutti: »Darf ich die Uhr annehmen, Mutti?«

Großvater antwortete: »Das hast du ja schon getan. Und ich finde es richtig. Matthias muß man schädigen, wo man nur kann.« Dann wandte er sich an den Grafen: »Ist die Uhr auch vom Kaiser?«

»Nein, mein Freund«, antwortete der Graf. »Dann würde ich sie nicht verschenken. Wenn du die Wahrheit wissen willst — ich habe sie beim Pokern gewonnen.« Er wandte sich an Robert: »Jetzt lauf und hol die diebische Elster herein. Sag ihr, ich werde ihr schon nicht den Kopf abreißen.«

Es dauerte eine Weile, bis Robi mit der verheulten Selma zurückkam.

Ihr Vater donnerte sie an: »Zur Strafe fällt morgen die Eislaufstunde aus.« Er erklärte uns: »Das ist die größte Strafe für sie. Sonst darf sie jeden Tag eine volle Stunde laufen.«

Selma stand mit gesenktem Kopf da, von Kopf bis Fuß eine reuige Sünderin.

Der Graf sprach weiter: »Du darfst morgen zwei Stunden laufen.«

Er lachte, verbeugte sich, legte seinen Arm um die Schulter seiner Tochter und marschierte hinaus.

»So schenken Millionäre«

Der Winter war herrlich. Es gab viel Schnee, immer klaren Himmel, aber oft klirrende Kälte. Es war so kalt, daß ich manchmal auf das Schlittschuhlaufen verzichtete. Nur Robi nicht. Jeden Tag kurvte er mit Selma auf der Eisfläche und hüpfte herum wie ein Geißbock.

Als ich wegen der Kälte wieder einmal zu Hause blieb und im Wohnzimmer in meinem Zaubersessel hockte, mußte ich unfreiwillig ein Gespräch zwischen Mutti und Großvater mit anhören. Ich hatte nämlich einen Band Maupassant in den Händen, den ich, trotz — oder gerade wegen — Muttis ausdrücklichem Verbot, aus der Bibliothek genommen hatte.

Das Gespräch fand bei offener Tür in Großvaters Arbeitszimmer statt. Ich hörte, wie Mutti, aus der Küche kommend, ins Arbeitszimmer ging und angriffslustig sagte: »Dein Sohn hat geschrieben.«

Großvater fuhr auf: »Was heißt ›dein Sohn‹? Und warum so verächtlich? Philipp heißt er.«

»Soll ich dir den Brief vorlesen?« fragte meine Mutter zaghaft.

»Wenn es dir nichts ausmacht.«

Mutti las: »Geliebte, sehr geliebte Elisabeth ...«
Sie unterbrach sich. »Warum schreibt er das? Sollte es so klingen, als ob er mich noch lieben würde?«
»Vielleicht tut er das«, meinte Großvater.
Mutti lachte bitter, aber es klang etwas gekünstelt. Sie bemerkte: »Jetzt wird er sentimental.« Dann las sie weiter:
»Das Leben hat es nicht gut mit uns gemeint. Böse Gerüchte, anonyme Briefe, eine verirrte Kugel, Flucht, Krieg für Euch zu Hause und Lager für mich in Amerika. Wir haben alles überstanden, aber was ich nicht verstehe, das ist Dein Groll auf mich. Du hast alle meine Briefe ungeöffnet zurückgeschickt, auch die Geschenke für die Kinder ...«
Hier schrie Großvater auf, und sein Schrei schien aus meinem Herzen zu kommen: »Was? Geschenke für die Kinder? Davon weiß ich ja gar nichts.«
»Jetzt schickt er ja auch nichts mehr«, redete sich Mutti aus.
Der Brief war ziemlich lang, ich kann mich nicht mehr an alle Einzelheiten erinnern. Jedenfalls bedankte sich unser Vater, daß Mutti in die Scheidung eingewilligt hatte, und fügte hinzu:
»Du bist offenbar verständnisvoller geworden und

224

wirst hoffentlich auch dafür Verständnis aufbringen, daß ich wieder geheiratet habe, und zwar Missis Mabel Goodrich. Besser gesagt, sie heiratete mich.«

Die letzten Worte las Mutti mit tränenerstickter Stimme, dann heulte sie laut auf und lief aus dem Arbeitszimmer.

Ehrlich gesagt, ich empfand diese Nachricht keineswegs als niederschmetternd. Ich horchte in mich hinein, aber nichts rührte sich in meinem Innern. Höchstens Neugier: Wie mochte die neue Frau unseres Vaters aussehen?

Einige Tage später lud Großvater uns ein, in den Wald mitzukommen, um einen Weihnachtsbaum zu fällen. Das taten wir alle Jahre gemeinsam, seitdem wir wußten, daß der Weihnachtsmann nur im Märchen existiert. Aber schmücken durften wir den Baum nicht, das hatte sich Mutti ausbedungen, das war ausschließlich ihre Aufgabe.

Wir fuhren mit dem Schlitten. Bolko und Robi saßen vorn, ich mit Großvater in Pelzdecken gehüllt auf den rückwärtigen Sitzen. Es war ein schöner Wintertag, mit Sonnenschein und glitzerndem Schnee. Auch die Pferde schienen sich zu freuen über die knirschende weiße Pracht unter ihren Hufen; ihre Glocken klangen hell und lustig.

Auch Großvater war guter Laune. »Diesmal werdet ihr Augen machen, was alles unter dem Weihnachtsbaum liegt.«

Robi drehte sich zu uns um. »Geschenke aus Amerika.«

Großvater wunderte sich: »Woher weißt du das?«

»Ich habe heute gesehen, wie Bolko ein großes Paket vom Bahnhof abgeholt hat. Es klebten amerikanische Briefmarken darauf. Ich freue mich — mal was anderes.«

Robert sollte recht behalten. Wir erhielten Geschenke, die sich von den bisher üblichen stark unterschieden. Verschiedene Spielzeugschachteln mit englischen Aufschriften: Monopoli, Puzzles und andere, bei uns noch unbekannte Geduldspiele. Robi bekam ein sehr schön geschnitztes Schachspiel mit chinesischen Figuren, worüber er sich sehr freute, und einen komischen, großen Lederball, der wie ein verpatztes Ei aussah, worüber er sich weniger freute, da er nicht wußte, was das war. Ich bekam unter anderem eine hübsche, große Umziehpuppe, die »Mama« und »Daddy« sagen konnte, und zwölf Kleider. Sechs für die Puppe, sechs für mich. Ich spielte zwar nicht mehr mit Puppen, aber woher sollte das der Mann, der mein Vater war, im fernen Amerika wissen?

»So schenken Millionäre«, brummte Großvater,

der einen Pfeifenständer bekam, vollbestückt mit Pfeifen.

Muttis Geschenk lag auf dem Sofa ausgebreitet: ein Kleid aus glitzernden Perlen. So etwas Schönes hatte ich noch nie gesehen. Aber Mutti rührte das Geschenk nicht an, nur hie und da warf sie einen traurigen Blick auf die funkelnde Pracht. Ich sah, wie sie mit den Tränen kämpfte, aber Robi bemerkte es nicht und forderte sie auf, das Kleid anzuziehen.

Da war es mit Muttis Selbstbeherrschung ganz vorbei, mit Tränen in den Augen flüsterte sie: »Entschuldigt mich bitte!«

Sie lief aus dem Zimmer und ließ uns mit dem silbergrünen Weihnachtsbaum zurück, den sie mit so viel Liebe für uns geschmückt hatte.

Großvater seufzte. »Eure Mutter liebt diesen Hallodri immer noch.«

Silvesterschwarm

Graf H. hatte uns zu einem Kostümball eingeladen, der in der Silvesternacht stattfinden sollte. Robi hatte sich ein Robin-Hood-Kostüm zurechtgefummelt; eine Fasanenfeder hatte ihm Großvater besorgt, und Pfeil und Bogen hatte er schon vor Jahren geschenkt bekommen. Ich ging als ungarisches Bauernmädchen. Mutti besaß ein Originaltrachtenkleid: weiße Bluse mit weiten Ärmeln, einen Rock mit Tulpen bestickt und darunter sechs Unterröcke. Robi behauptete, ich sähe aus wie eine Tonne, aber ich fand mich sehr hübsch.

Mutti ging als Königin. Es war uns gelungen, sie zu überreden, das amerikanische Kleid anzuziehen und dazu eine diamantene Krone ins Haar zu stecken. Sie war natürlich nicht echt, aber sie funkelte prächtig. Mutti hatte sie schon als junges Mädchen bei dem Wiener Opernball getragen, erzählte sie uns, und war wieder dem Weinen nahe — bei dieser Gelegenheit hatte sie unseren Vater kennengelernt. Über die Schulter trug sie eine breite farbige Ordensschleife mit einer Rosette, die beim Opernball von den Vortänzerinnen getragen wurde. Mutti sah hinreißend aus.

Nur Großvater hatte Ärger mit seinem Kostüm. Er wollte eine alte Uniform von den Potsdamer Gardeulanen anziehen, aber Mutti riet ihm davon ab.

»Du weißt, wie konservativ der Graf H. in diesen Dingen ist«, mahnte sie. »Er würde es dir übelnehmen, wenn du eine preußische Uniform als Kostüm für einen Ball benutzt.«

Großvater gab murrend nach und verkleidete sich als Kutscher. Peitscheknallend trat er in den Saal — und erblaßte, als Graf H. ihn in voller Uniform eines Obersten der Gardeulanen begrüßte. Mutti wurde noch blasser, als sie der Blitz aus Großvaters Augen traf.

Die Gäste kamen alle aus der Umgebung, nur wenige mit dem Zug, die meisten mit Kutschen. Es war sehr kalt, und der Graf ließ in verschiedenen Räumen zu ebener Erde Heu streuen, damit die Pferde, die in den Stallungen keinen Platz mehr hatten, hier ihre Wartezeit verbringen konnten.

Es waren vielleicht zwanzig Kinder in unserem Alter da, und wir durften alle so lange aufbleiben wie die Erwachsenen — keineswegs aus erzieherischer Großzügigkeit, sondern weil man es den Pferden nicht zumuten konnte, die großen Entfernungen zweimal in einer Nacht zurückzulegen.

Wir Kinder hatten zum Tanzen einen Raum für

uns. Ein Klavier stand da, auf dem eine sehr nette alte Dame, die ein ulkiges Deutsch sprach, zum Tanz aufspielte. Selma erzählte mir, sie sei eine russische Emigrantin, eine richtige Prinzessin, aber völlig verarmt. Sie war klein und zierlich, spielte auch sehr gut, aber zu leise. Jedenfalls konnte ihr zarter Anschlag mit der fünf Mann starken Salonkapelle, die bei den Erwachsenen spielte, nicht konkurrieren. Wir drängten uns immer mehr in der Nähe der Tür zusammen, um auf diese Weise nach dem Rhythmus der Kapelle tanzen zu können.

Schließlich saß die kleine Prinzessin ganz allein in dem Raum, und ich beschloß, Robi zu bitten, sie für eine Weile zu vertreten. Ich fand ihn nicht, aber es war gar nicht notwendig, denn plötzlich erschien Fräulein Schuster — die Lehrerschaft war auch eingeladen — und löste die Prinzessin ab. Sie kam in Begleitung des schönen Lehrers Joachim Deckel. Wir begegneten uns auf der Schwelle zum großen Saal, die Schuster begrüßte mich freundlich, und er forderte mich zum Tanzen auf. Ich wurde puterrot, und dann schwebte ich mit ihm wie in Trance zwischen den Tanzenden.

Als das Musikstück zu Ende war, lieferte er mich bei Großvater ab. Und der hatte gleich einen Auftrag für mich.

»Hetti, hol mir doch bitte aus meiner Mantelta-sche meine neue Bruyère-Pfeife aus Amerika.«

Immer noch von Glück benommen, machte ich mich auf die Suche nach dem Zimmer, wo wir unsere Mäntel abgegeben hatten. Endlich fand ich es. Die Tür war zu, und als ich sie aufmachte, erblickte ich Robi und Selma, die sich fest umarmt hielten und sich küßten.

Als sie mich bemerkten, fuhren sie erschrocken auseinander, und Robi schimpfte: »Was suchst du hier, zum Teufel?«

»Großvaters Pfeife«, sagte ich schnippisch. Ir-gendwie ärgerte ich mich über die beiden.

Als ich nach längerem Suchen die Pfeife endlich in der Hand hielt, erschien Mutti in der Tür.

»Was treibt ihr denn hier?«

Ich zeigte ihr die Pfeife.

»Großvater hat mich gebeten, sie zu suchen. Und Robi und Selma haben mir dabei geholfen.

»Lauf schnell und bring sie ihm«, forderte mich Mutti auf. »Er schreit schon nach seiner Bruyère.«

Ich lief zurück in den großen Saal. Die Hoffnung, mit dem schönen Joachim noch ein zweites Mal tanzen zu können, erfüllte sich nicht. Er tanzte mit der Prinzessin, die in ihrem altmodischen Kleid und mit ihren weißen Haaren wie eine Ro-kokopuppe aussah.

Ich hielt mich immer unauffällig in der Nähe meines Schwarms auf, ich begegnete ihm »zufällig« einige Male, aber es nützte nichts. Er führte die Prinzessin wieder zum Klavier, und dann tanzte er nur noch mit der Schuster.

Ich hätte eigentlich mit dem einen Tanz glücklich und zufrieden sein können, schließlich war ich das einzige Schulmädchen, mit dem er getanzt hatte, aber ich war es nicht. Ich verfolgte mit giftigen Blicken die beiden Tanzenden, die selbstvergessen ihre Runden drehten.

Die Silvesternacht war für mich verdorben.

Krankenschwester Ljuba

Eine viel schlimmere Nacht mußte der arme Onkel Franzek verbracht haben — seine Frau war im Morgengrauen gestorben. Ohne Arzt und ohne Pfarrer. Beide feierten bei dem Grafen H. Silvester.

Wir saßen am ersten Tag des Jahres beim Katerfrühstück, als Dr. Kanturek erschien und erzählte, er müsse gerade den Totenschein für Martha Malzahn ausstellen.

»Krank sah sie in der letzten Zeit aus«, stellte Mutti fest, nachdem sie den Tod Marthas gebührend bedauert hatte. »Aber ich habe nie erfahren, was ihr eigentlich gefehlt hat.«

»Ich auch nicht«, gestand Dr. Kanturek. »Sicher, ein Armutszeugnis für einen Arzt, aber das ist die nackte Wahrheit. Ihr Herz war sehr schwach, zugegeben, aber das allein kann es nicht gewesen sein.«

Hedwiga stellte gerade eine Schüssel dampfende Krautsuppe auf den Tisch und mischte sich ins Gespräch: »Wenn der Herr Baron erlauben, ungefragt etwas zu sagen — sie ist an dem Frauenzimmer zugrunde gegangen.«

»Was für ein Frauenzimmer?« wollte Großvater wissen.

»Ljuba heißt sie. Sie ist Krankenschwester in dem Krankenhaus, wo der Franzek gelegen hat. Der Malzahn ist fast jeden Abend zu ihr gefahren.«

Großvater fuhr auf: »Mit meinen Pferden?«

»Nein, nein, mit dem Zug«, beruhigte ihn Hedwiga und schlurfte hinaus.

Dr. Kanturek starrte nachdenklich vor sich hin.

Großvater fragte ihn: »Was haben Sie als Todesursache angegeben, Doktor?«

»Herzversagen«, antwortete Dr. Kanturek, und sein Gesicht nahm einen sorgenvollen Ausdruck an. »Von dieser Ljuba wußte ich natürlich nichts. Vielleicht hätte ich als Todesursache ›Krankenschwester Ljuba‹ angeben müssen.«

Mutti erlaubte uns nicht, zur Beerdigung zu gehen, auch sie ging nicht hin; Großvater sollte unsere Familie vertreten.

Nachdem er fort war, forderte uns Mutti auf: »So, jetzt setzt euch hin und schreibt einen ausführlichen Brief an euren Vater und bedankt euch für die Geschenke.«

»Den Brief soll Hetti schreiben«, sagte Robi. »Sie ist schließlich Schriftstellerin.«

Ich wußte, daß das ironisch gemeint war, aber irgendwie war ich trotzdem stolz darauf und willigte ein. Mit dem Brief allerdings tat ich mich sehr schwer. Es war nicht so einfach, an einen Vater, den man gar nicht kennt, einen Brief zu schreiben. Das schrieb ich dann auch.

»Lieber Vater,

Mutti hat gesagt, wir sollen Dir einen ausführlichen Brief schreiben und uns für die Geschenke bedanken. Ich meine, Robi und ich. Robi meinte, ich sollte schreiben, da ich so was wie eine Schriftstellerin bin. Ich habe nämlich einmal eine Geschichte über Graf H.s Zigarettendose geschrieben, die in der Prausnitzer ›Heimatpost‹ erschienen ist. Du hast es sicher nicht gelesen, ich glaube nicht, daß die ›Heimatpost‹ bei Euch zu kaufen ist.«

Das war die Einleitung.

»Mutti, Robi und ich danken Dir sehr für die schönen Geschenke. Ich spiele zwar nicht mehr mit Puppen, aber das kannst Du ja nicht wissen, obwohl Du mein Vater bist. Robi wollte von Dir wissen was er mit dem komischen Lederei machen soll. Ist das ein Spielzeug? Mutti hat das Glitzerkleid beim Silvesterball getragen. Sie sah aus wie eine Königin.

Ist Deine jetzige Frau hübscher als Mutti? Schicke mir doch bitte ein Bild von ihr, ich möchte wissen, wie sie aussieht. Und von Dir auch. Du hast Dich sicherlich verändert und siehst nicht mehr so aus wie in Uniform auf den Bildern, die überall bei uns herumstehen.

Filou geht es gut. Wir haben zwei Vollblüter, die Stute Antonia und den kleinen Hengst Antonius. Und auch ein Automobil, das Bastard heißt.

Ich glaube, ich war ausführlich genug.

Es küßt Dich Deine Tochter

Hetti.

NB. Bitte grüße Genoveva und Hannes von mir.«

Robi hat den Brief dann auch unterschrieben. Ich mußte ihn Mutti vorlesen, und sie wollte ihn so nicht wegschicken. Sie bestand darauf, daß ich ihn nochmals schreibe und den Satz, bei uns stünden Vaters Bilder überall herum, weglasse.

Zum Glück war Großvater vom Begräbnis schon zurück und hörte, wie ich den Brief vorlas und Muttis Protest. Er nahm Mutti den Brief einfach aus der Hand, klebte ihn zu und erklärte: »Der Brief geht so ab.«

Er steckte ihn in die Tasche, dann erzählte er Mutti: »Stell dir vor, ich wollte dem Franzek mein Beileid ausdrücken, aber er konnte mir nicht die Hand reichen, denn er war gefesselt. Erst nachher erkannte ich die beiden Gendarmen in Zivil, die hinter ihm standen.«

Wir schauten Großvater verständnislos an, keiner begriff die Zusammenhänge, auch Mutti nicht. Schließlich stellte Robi die Frage: »Warum war er gefesselt?«

»Man hat ihn kurz vor dem Begräbnis verhaftet«, erklärte Großvater. »Mordverdacht. Er hat gleich ein Geständnis abgelegt. Das Gift hat ihm seine Krankenschwester besorgt.«

»Der arme Onkel Franzek«, seufzte ich.

Mutti schüttelte den Kopf. »Wieso denn arm? Er ist ein Mörder.«

Ich habe nichts mehr gesagt, aber ich konnte mir Onkel Franzek einfach nicht als Mörder vorstellen. Ich sah ihn immer nur so, wie ich ihn schon als kleines Kind gesehen hatte, im Akazienwäldchen, und als er mir beibrachte, wie man mit den Bienen umgehen muß.

Aprilia

Der Winter war vorbei, es ging schon auf den Frühling zu, als freudige Nachricht aus dem Stall kam: Antonia erwartete ein Baby. In der nüchternen Pferdezüchtersprache hieß das natürlich: sie stand kurz vor dem Abfohlen.

Daß sie schon trächtig war, als sie mit Antonius bei uns einzog, hatten wir gewußt. Großvater und Isi Bucheim sprachen einige Male in meiner Gegenwart darüber, daß sie von dem Hengst ›Titan‹ gedeckt worden sei. Mutti verzog bei solchen Gesprächen immer das Gesicht, aber sie traute sich nicht, etwas zu sagen, da Großvater sie schon mehr als einmal angefaucht hatte. Er war der Ansicht, daß Kinder, die auf einem Gutshof lebten, den sie einmal erben würden, wissen sollten, wie die Tiere sich vermehren.

Dr. Paczensky kam jetzt jeden Tag, um die Stute zu untersuchen. Wir durften immer dabei sein, wenn wir nicht gerade in der Schule waren.

»Heute nacht muß es soweit sein«, sagte der Doktor, schließlich am 31. März.

Großvater rief mit komischer Verzweiflung aus:

»Hoffentlich noch vor Mitternacht! Sonst wird es ein Aprilscherz.«

Der Doktor bot sich an, über Nacht im Schloß zu bleiben. Großvater nahm das Angebot freudig an und befahl Bolko, im Stall zu übernachten und ihn und den Doktor sofort zu verständigen, wenn die Stute ihre Wehen bekäme. Der Doktor ordnete an, alles Notwendige, wie Jod, Seife, Handtücher und Schüsseln mit Wasser, vorzubereiten.

Auf dem Weg zum Haus fragte Robi: »Großvater, hast du was dagegen, wenn ich auch im Stall übernachte?«

»Ich hätte was dagegen, wenn du es nicht tätest«, antwortete Großvater.

Robi wollte sofort zum Stall zurücklaufen, aber der Doktor hielt ihn zurück: »So eilig ist das nicht. Es hat noch einige Stunden Zeit.«

Im Stall zu übernachten schien mir etwas übertrieben, aber neugierig war ich doch darauf zu sehen, wie so ein kleines Fohlen zur Welt kommt.

Großvater schien meine Gedanken gelesen zu haben, denn er fragte mich: »Und du?«

»Ich möchte auch gern dabei sein.«

Großvater nickte. »Gemacht. Ich hole dich aus dem Bett, wenn es soweit ist.«

Dummerweise hatte ich beim Abendessen davon gesprochen, wie aufgeregt ich dem Ereignis entge-

gensähe. Als Mutti erfuhr, daß ich dabei sein sollte, protestierte sie energisch: »Das erlaube ich
nicht. Schließlich ist sie noch ein Kind...«

Großvater schnitt ihr das Wort ab: »Sie ist ein
junges Mädchen, und an den Storch glaubt sie
schon lang nicht mehr. Sie soll ruhig sehen, was ihr
eines Tages bevorsteht.«

Mutti verdrehte die Augen, aber das nützte nichts.
Großvater holte mich, wie versprochen, aus dem
Bett, und wir liefen zum Stall, wo wir Robi und
den Doktor, der bereits seine Gummischürze anhatte, vorfanden.

Antonia ging in ihrer Box unruhig auf und ab, von
Seitenwand zu Seitenwand, dann im Kreis herum,
mit unsicheren Schritten. Sie war von Schweiß be-
deckt, ihr Körper dampfte geradezu. Eine Sekunde lang blieb sie vor mir stehen und blickte mich
an, aber dessen bin ich nicht sicher, es kann auch
Einbildung gewesen sein. Ihre Augen waren ge-
trübt und drückten Schmerz aus. Dann ließ sie
sich langsam auf dem Stroh nieder und legte sich
seitlich hin.

Der Doktor und Bolko eilten zu ihr, knieten sich
hin und versperrten mir für kurze Zeit die Sicht.
Als sie sich wieder erhoben und beiseite traten, lag
schon das Fohlen da, naßglänzend und hilflos. Es
wurde mit Stroh abgetrocknet.

Der Doktor kam zu uns und meldete: »Eine Stute.«

Großvater schaute auf die Uhr. »Fünf Minuten nach eins. Wir werden es Aprilia nennen.«

Inzwischen war Antonia aufgestanden. Sie besah ihr Baby von allen Seiten, dann leckte sie es vorsichtig und zart ab. Das Fohlen hob den Kopf, Mutter und Tochter blickten sich an.

Es dauerte noch einige Minuten, bis das Fohlen sich bewegte. Bald streckte es die Vorderhand aus und versuchte aufzustehen. Es gelang nicht auf Anhieb, immer wieder brach es ein, es hatte noch nicht genügend Kraft in den dünnen Beinchen.

Wir harrten aus, vielleicht eine halbe Stunde, und auf einmal stand das Fohlen, breitbeinig und wackelig, aber es stand.

Einige Minuten noch, dann stolperte es mit staksigen Beinen zur Mutter, auf Anhieb fand es die Zitze und begann, die Muttermilch zu trinken.

»So, Doktor, jetzt brauchen wir auch einen Korn«, sagte Großvater, und wir verließen den Stall und den neuen Erdbewohner.

Dann kam ein Brief aus Amerika. Aber nicht Vater hatte ihn geschrieben, sondern seine neue Frau. Englisch. Sie habe von Mister Harris erfahren, daß ich ganz gut englisch spreche. Sie schrieb, unser Vater könne nicht schreiben, da Ali, der Waschbär, den sie als Haustier halten, ihn in den Finger gebissen habe. Sie schickte auch eine Fotografie, die Vater mit verbundener Hand zeigte.

Großvater beäugte das Bild mißtrauisch. »Wenn das mit dem Waschbären bloß wahr ist. Mein lieber Sohn hat früher die tollsten Geschichten erfunden, damit er keine Briefe zu schreiben braucht.«

Ich nahm Vater in Schutz: »So was erfindet doch niemand!«

»Dein Vater schon«, schmunzelte Großvater.

Auch von sich schickte sie ein Bild, und auf die Rückseite hatte sie geschrieben: »How you see, I'm really not so pretty as your mother.«

Sie saß am Steuer eines großen Autos, hatte ganz kurz geschnittene Haare und lachte.

»Sie lacht uns aus«, murmelte Mutti.

Unerwarteter Besuch

Wir bekamen einen zweiten Bastard. Kein Automobil, sondern einen kleinen zottigen Hund, den Cigány von irgendwoher mitgebracht hatte. Auf einmal war er da, spielte mit Cigány im Hof und folgte uns — besser gesagt: Cigány — überallhin. Wir hatten keine Ahnung, wem er gehörte, und rechneten Tag für Tag damit, daß plötzlich jemand kommen und ihn abholen würde. Es kam aber niemand.

Die Sache war insofern verwunderlich, als wir alle Hunde in der Gegend kannten, es gab nämlich nicht so viele. Martin erzählte, daß in den letzten Jahren des Krieges die hungernden Menschen richtige Hunde-Jagden veranstaltet hätten. Die armen Viecher wurden erschossen oder mit Schlingen gefangen, dann gebraten und aufgegessen. Ein schrecklicher Gedanke!

Wir gaben dem kleinen Hund den Namen Bastard II, riefen ihn aber nur Basti. Er war ein freundlicher Hund, begrüßte schwanzwedelnd jeden, auch Fremde. Nur einmal hat er einen furchtbaren Spektakel veranstaltet, als der Mühlenbesitzer Tschescherich zu Besuch kam. Ehrlich gesagt, ich hätte, wenn ich es gekonnt hätte, auch am liebsten gebellt, so komisch sah er aus. Er trug eine groß-karierte Hose und eine kleinkarierte Jacke, dazu eine breite seidene Krawatte, auf die eine Palme gestickt war.

Wir wußten, daß er zur Hochzeit seiner Tochter nach Amerika gefahren war und dort einige Wo-chen verbracht hatte, daß er aber wie ein Clown zurückkehren würde, damit hatten wir nicht ge-rechnet. Auch Basti nicht, denn er hatte ihn wü-tend angebellt, sich in der karierten Hose des Mül-lers richtig festgebissen und mindestens zwei Ka-ros in der Schnauze mit Siegermiene davongetra-gen.

Tschescherich nahm ihm das gar nicht übel, so glücklich war er über seine eigene Erscheinung. Er lachte sogar. »Das ist nichts gegen Ali, den Waschbären auf der Goodrich-Farm. Außerdem habe ich noch so eine Hose zu Hause«, erklärte er. »In den Staaten kauft man alles doppelt.«

Der Mühlenbesitzer hatte sich nicht nur äußerlich verändert. Da war nichts mehr von der Unterwür-figkeit, die er früher Großvater oder Mutti gegen-über an den Tag gelegt hatte. Er hielt uns einen richtigen begeisterten Vortrag über Amerika, vor allem über Kalifornien, so daß Großvater ihn un-terbrechen mußte.

»Lieber Tschescherich, das ist alles sehr interessant, und wir können auf die Sitten und Gebräuche der Amerikaner noch einmal zurückkommen. Aber erzählen Sie zunächst mal von meinem Sohn.«

»Dem geht es prima!« rief der Müller aus. Früher hätte er garantiert »dem jungen Herrn Baron geht es ausgezeichnet« gesagt.

Immerhin erfuhren wir, daß unser Vater immer noch nicht schreiben konnte, weil seine Wunde vereitert war.

»Aber reiten kann er«, erzählte der Müller. »Er hält die Zügel mit der Linken. Jeden Tag reitet er mit Missis Goodrich um die Wette.«

Mutti runzelte die Stirn. »Missis Goodrich? Die Dame heißt jetzt Baronin Preewitz.«

»Offiziell schon«, meinte Tschescherich. »Aber keiner kann sich daran gewöhnen. Dort ist alles nach den Goodrichs benannt: die Farm, die Hauptstraße, sogar eine kleine Kirche. Und die Mühle.« Hier machte er eine kurze Kunstpause, und endlich verkündete er, was ihm sicherlich schon lange auf der Zunge gelegen hatte: »Übrigens, ich übernehme die Mühle. Das habe ich mit Mister Preewitz besprochen. Ich verkaufe hier alles und gehe hinüber, für immer. Eine bessere Gelegenheit wird es kaum noch geben. Die Mark ist wieder etwas wert, wer weiß, wie lange sie sich hält. Drüben werden wir deutsches Brot backen und in ganz Amerika verkaufen.«

Großvater lachte. »Von Kalifornien aus? Bis euer Brot in New York ankommt, dürfte es knochentrocken sein.«

Tschescherich protestierte: »Bestimmt nicht. Mister Preewitz kennt ein neuartiges Frischhalteverfahren, das bei uns noch unbekannt ist. Außerdem liefern wir mit Flugzeugen. Drüben verkehren die Flugzeuge so oft wie bei uns die Straßenbahnen.«

Der Müller erzählte des langen und breiten von dem »Mühlen-deal«, den er mit Vati aufziehen wollte, und so dauerte es eine Weile, bis es Mutti gelang, eine Frage anzubringen, die sie bestimmt schon die ganze Zeit beschäftigte.

»Haben Sie auch die neue Frau von meinem geschiedenen Mann kennengelernt?«

»Ah ja«, bestätigte Tschescherich. »Aber ich habe sie nicht allzu oft gesehen. Sie blieb immer nur zwei, drei Tage auf der Ranch und fuhr dann gleich nach Chicago oder nach New York. Sie lebt halt lieber in der Großstadt.«

»Und mein Mann?« versprach sich Mutti, ohne es zu bemerken. »Fuhr er immer mit?«

Der Müller schüttelte den Kopf. »Nie. Wenigstens nicht in der Zeit, während ich dort war.«

Mutti schien mit dieser Antwort zufrieden, denn es entschlüpfte ihr ein beinahe glückliches Lächeln.

Tschescherich hob wieder zu einem Vortrag an. Aber er wurde von Martin unterbrochen, der hereinkam und berichtete, in der Halle warte ein junger Herr, der eben in einem Auto vorgefahren sei. Mit zwei Koffern.

Großvater und Mutti schauten sich verwundert an und fragten fast gleichzeitig: »Hast du jemanden eingeladen?«

Beide schüttelten den Kopf, und Großvater fragte: »Hat er seinen Namen nicht genannt?«

»Er sagte nur, er käme aus Berlin, mit Vornamen hieße er Edwin, einen Nachnamen müßte er noch erfinden.«

Robi und ich sprangen auf und stürzten in die Halle. Er war es wirklich, unser Freund Edwin. Wir begrüßten ihn stürmisch, auch Mutti, die nach uns kam, reichte ihm freundlich die Hand. Großvater war bei dem Müller sitzen geblieben, ihm mußte Edwin erst vorgestellt werden.

Edwin entschuldigte sich wegen des Überfalls, aber mehr sagte er nicht. Er bemerkte nur: »Über die Gründe berichte ich später.«

Da mußte selbst der ziemlich dickfellige Tschescherich merken, daß er überflüssig war. Er verabschiedete sich, und dann tat er etwas, was er früher ebenfalls nie gewagt hätte: er lud Robi und mich für den nächsten Tag — einen Sonntag — zu Schokolade und Kuchen ein. Immerhin fügte er hinzu: »Wenn die Frau Baronin damit einverstanden ist. Ich habe nämlich ein sehr hübsches Fotoalbum aus Kalifornien mitgebracht. Das dürfte die Kinder sicher interessieren.«

Muttis Reaktion war unerwartet: »Die Fotos würden auch mich sogar interessieren, lieber Herr Tschescherich. Ich komme gerne mit.«

Der Müller strahlte, küßte Mutti die Hand und ging.

Nachdem er die Tür hinter sich zugemacht hatte, sagte Großvater: »Wie dieses Amerika einen Menschen verändern kann! Ich befürchte, ich werde meinen Sohn nicht wiedererkennen, sollte ich ihn doch noch einmal zu Gesicht kriegen.«

Da niemand etwas sagte, wandte sich Großvater an Edwin: »So, junger Mann, jetzt zu Ihnen.«

Edwin stand lächelnd auf. »Der Angeklagte heißt Edwin Steiner, alias Stone, stammt aus einer gutbürgerlichen, wenn auch jüdischen Familie. Sein Vater und er sind erklärte Gegner der Regierung, und deshalb werden beide von den Schergen der Machthaber verfolgt.« Er trug diese Sätze mit selbstironischer Dramatik vor.

Mutti schaute etwas betroffen drein, aber Großvater lächelte.

»Setzen Sie sich, Angeklagter.«

Edwin setzte sich.

»Was haben Sie gegen die Regierung?«

Edwin legte los: »Es sind Schlappschwänze. Schwankende Rohre im Wind. Schlimme Spießbürger, Emporkömmlinge ohne Intelligenz. Ein Sattler, ein Schlosser, ein Drucker, ein Polsterer und ein blutdürstiger Korbmacher. Und die sollen Deutschland regieren?«

»Wer sonst?« fragte Großvater erstaunlich ruhig.

»Die Intelligenz«, antwortete Edwin mit ernster Miene. »Der einzige intelligente Vollblutpolitiker, Karl Liebknecht, wurde umgebracht.«

Liebknechts Name zündete bei Mutti wie ein Funke. Sie schlug die Hände zusammen. »Mein Gott, Edwin, Sie sind ja Kommunist!«

Edwin schüttelte den Kopf. »Nicht ganz. Und wenn ja, dann mit Vorbehalt.«

»Er ist Anarchist«, warf Robi ein, der sich an die französischen Bücher erinnerte, die Onkel Herbert von seiner Reise für Edwin mitgebracht hatte.

Erneut schüttelte Edwin den Kopf. »Bin ich auch nicht. Ich weiß selber nicht, was ich bin. Ich bin dabei, meinen eigenen Weg zu suchen.«

»Gott soll Ihnen dabei behilflich sein«, sagte

Großvater zu unser aller Erstaunen, denn er pflegte sich nicht auf Gottes Segen zu berufen.

Edwin fuhr auf. »Gott?« Aber dann schluckte er hinunter, was er sagen wollte.

»Wissen Sie, mein Junge«, hob Großvater an, »ich lasse mich nie auf politische Debatten ein, die sind meistens sinnlos. In unserem Fall erst recht. Ich bin zu alt und habe zuviel Erfahrungen, um mich von anderen Meinungen überzeugen zu lassen, und Sie sind zu jung. Mich interessiert also im Augenblick nur, warum Sie aus Berlin so plötzlich fort mußten. Haben Sie jemanden umgebracht?«

»Nein«, sagte Edwin. »Ich habe lediglich demonstriert und Eier geworfen. Faule Eier auf Gustav Noske.«

Großvater lachte. »Und der Genosse Reichswehrminister hatte das nicht gern?«

»Dummerweise sind wir fotografiert worden. Man hat mich auf den Bildern erkannt, und es wurde ein Haftbefehl gegen mich erlassen. In Wirklichkeit wollen die Genossen meinen Vater treffen, der ihnen in seinen Artikeln oft die Meinung gesagt hat. Onkel Herbert meinte, es wäre besser, wenn ich für zwei, drei Wochen aus Berlin verschwände.«

Großvater brummte: »Ich verstehe. Junger Mann, Sie sind in diesem Hause willkommen. Aber hetzen Sie meine Bediensteten nicht gegen mich auf.«

Edwin lachte. »Ich glaube, selbst wenn ich es wollte, wäre das vergebene Liebesmühe. Die sind allzusehr im Obrigkeitsglauben erzogen worden.«
»Glauben Sie mir, sie sind zufrieden dabei«, sagte Großvater, und dann bat er Mutti, dafür zu sorgen, daß Edwin gut untergebracht werde.
Als wir mit Edwin gerade das Wohnzimmer verlassen wollten, rief Großvater uns nach: »Vielleicht gebt ihr ihm das rote Zimmer.«

Der nette Müller

Am nächsten Vormittag führten wir Edwin auf dem Gut herum und zeigten ihm alles, was auf einem Gut eben so zu sehen ist. Ich könnte allerdings nicht behaupten, daß er großes Interesse für irgend etwas gezeigt hätte.

Am besten gefiel ihm noch Aprilia.

»Ein süßes, kleines Mädchen«, sagte er. »Schade, daß es einmal erwachsen wird.«

Edwin hatte seine Kamera bei sich und fotografierte alles. Robi und ich wurden oft von ihm aufgenommen, aber wir durften uns nicht einfach so hinstellen, wie man das sonst beim Fotografieren macht. Wir mußten zum Beispiel so tun, als ob wir miteinander ringen oder Murmeln spielen würden, obwohl wir gar keine Kugeln hatten.

Am Nachmittag fuhren wir dann zu dem Mühlenbesitzer, auch Edwin kam mit, natürlich nicht ohne Kamera. Tschescherich erwartete uns vor dem Haus, und für die Pferde standen gleich zwei Knechte bereit.

Kaum waren wir aus der Kutsche gestiegen, zückte Edwin seine Kamera. Er war vor allem von dem mächtigen Rad der Wassermühle begeistert, das sich allerdings schon lange nicht mehr drehte. Die ziemlich neue Dampfmühle hingegen interessierte ihn, zur Enttäuschung Tschescherichs, überhaupt nicht.

»Sie kann ja sehr gut und praktisch sein«, sagte Edwin, »aber optisch gibt sie überhaupt nichts her.«

Beim Kaffeetisch verblüffte Edwin mit seinen historischen Kenntnissen in puncto Mühlen.

»Wissen Sie eigentlich, wer den Mühlstein erfunden hat?« fragte er Tschescherich. Dieser mußte passen.

»Einer sizilianischen Legende zufolge war das ein Mann der Antike, namens Myles. Er lebte in der Ortschaft Kamiros und ließ sich als Mahlgott verehren. Damals bekam sogar der Gott aller Götter, Zeus, einen neuen Beinamen: Myleus, was Müller bedeutete.«

Tschescherich war sehr beeindruckt.

Das Fotoalbum war wirklich sehr interessant. Es waren nicht etwa Amateurfotos, sondern richtige gedruckte Bilder von Berufsfotografen. Das große Wohnhaus im viktorianischen Stil, eine ganze Anzahl Pferde- und Viehherden, malerische Cowboys und so weiter. Auch Porträts der Familienmitglieder derer von Goodrich, schließlich auch unser Vater mit seiner neuen Frau. Diese Bilder betrachtete Mutti natürlich bedeutend länger als die anderen.

Plötzlich fragte sie, und es sollte wie nebenbei klingen: »Wie alt ist diese Mabel?«

Tschescherich zuckte die Schultern. »Keine Ahnung. Jedenfalls älter als Sie, Frau Baronin.«

Diese Antwort schien Mutti zu befriedigen. Als das Album beiseite gelegt wurde, fragte sie unseren Gastgeber: »Und worüber sprach Philipp am meisten mit Ihnen?«

Tschescherich brauchte nicht lange nachzudenken. »Über unser Brotfabrikprojekt und über die Heimat. Und über Sie, Frau Baronin.«

Mutti bekam einen roten Kopf. »Über mich?«

»Ja.« Der Müller nickte. »Er wollte genau wissen, wie Sie aussehen, wie Sie leben. Er wollte vor allem wissen, ob...« Er unterbrach sich.

Aber Mutti war neugierig: »Ob?«

»Ob Sie etwa die Absicht haben, wieder zu heiraten. Ob es einen Mann gibt...« Hier schwieg er wieder eine Weile, bis er weitersprach: »Na ja, Sie wissen schon, Frau Baronin.«

Mutti schüttelte den Kopf. »Es gibt keinen.«

Dann erschien plötzlich in ihren Augen ein merkwürdiger Glanz, auf ihren Lippen ein glückliches Lächeln, das sie den ganzen Nachmittag über behielt, sogar auch noch zu Hause beim Abendessen und nachher, als sie mit ihrer Stickerei mit uns im Wohnzimmer saß.

Auf einmal hob sie ihren Kopf und sagte aus heiterem Himmel: »Dieser Tschescherich ist eigentlich ein recht netter Mensch.«

Ein sympathischer Teufel

Am Montag kam Edwin mit uns ins Dorf, er wollte Fotos machen. Wir fuhren eine Stunde früher los als sonst. Unseren Vorschlag, er sollte uns mittags mit der Kutsche abholen, lehnte er ab.

»Mittags ist das Licht nicht mehr so gut«, erklärte er.

Er knipste Straßen, alte Häuser, die Kirche und sogar die Schule. Im Schulhof stellten wir ihm meinen angebeteten Lehrer Deckel vor, den ich allerdings seit Silvester nicht mehr so angebetet hatte. Ich wußte selber nicht, warum meine Verehrung nachgelassen hatte. Vielleicht war Edwin daran schuld, weil er meiner ersten großen Liebe, Onkel Herbert, so ähnlich sah?

Edwin unterhielt sich ziemlich lange mit dem Lehrer, und dieser erlaubte ihm, während der Unterrichtsstunde in dem schönen, hellen Klassenzimmer von den Kindern Fotos zu machen. Er hockte zwischen uns, wanderte hin und her und knipste. Für uns war das eine willkommene Abwechslung, offenbar auch für Deckel, denn er ließ Edwin eine volle Stunde gewähren.

Als wir mittags nach Hause kamen, saß der Teufel im Wohnzimmer, jener oft erwähnte Teufel, der immer dann erscheint, wenn man ihn an die Wand malt. Ich wußte damals nicht, als ich ihm begegnete, daß er der sprichwörtliche Teufel war, über den am Tag vorher der Müller ahnungslos mit Mutti gesprochen hatte. Erst Wochen später erinnerte ich mich wieder an dieses Gespräch.

Der Teufel hieß Arno von Preewitz und war der Sohn von Großvaters verstorbenem Bruder Carl Albert. Er war ein sehr sympathischer Teufel, eine Eigenschaft, die Teufel nur noch gefährlicher macht.

Wir, Robi und ich, kannten ihn nicht persönlich. Wir wußten von seiner Existenz, da Großvater oft über die beiden gesprochen hatte: über seinen Bruder, der völlig »aus der Art geschlagen« war, und über den Sohn, den »Apfel, der nicht weit vom Stamm fiel«. Großvater hat aber gleich hinzugefügt: »Um Gottes willen, das ist nicht abwertend gemeint.«

In Wirklichkeit war er stolz auf seinen Bruder, und er sprach gern über ihn. Carl Albert war insofern aus der Art geschlagen, als er nicht der Tradition der Preewitzens folgte. Er wurde kein aktiver Offizier, sondern Wissenschaftler. Eigentlich war er Arzt, aber er praktizierte nicht, sondern betrieb medizinische Forschungen. Finanziell konnte er sich das leisten, da er sich sein Erbe hatte auszahlen lassen. Er hatte in Paris an der Sorbonne studiert und eine Französin geheiratet. Eine Zeitlang war er Assistent bei dem Ehepaar Curie, das die Radioaktivität entdeckte. Später arbeitete er in München mit Röntgen zusammen, der die nach ihm benannten Strahlen für medizinische Untersuchungen benützte. Diese Strahlen aber waren lebensgefährlich.

»Carl Albert haben sie jedenfalls umgebracht«, pflegte Großvater seinen wissenschaftlichen Vortrag abzuschließen.

Der Sohn wurde Maler. Er lebte und lernte in Paris, dann in Rom, und später »zog er in der Provence umher«, wie Großvater zu sagen pflegte. Seinen großflächigen Malstil nannte Großvater »Kleckserei«.

»Der Arno malt mit dem Spaten«, hieß es bei ihm. Immerhin hingen drei Bilder von Arno in den Gästezimmern. Besonders gefiel mir ein Landschaftsbild mit rotem Mohn und gelber Sonne. Das Bild hing in dem Zimmer, wo wir Edwin untergebracht hatten.

Auch ihm gefiel das Bild einigermaßen, obwohl er lästerte: »Van Gogh hat das besser gemalt. Dein Onkel Arno ist ein Epigone.«

Ich konnte ihm nicht widersprechen, da ich weder van Gogh kannte noch wußte, was das Wort Epigone bedeutet.

Wir wußten nicht genau, wann Arno von Preewitz kommen würde. Er hatte von München aus mit Großvater telefoniert, als er aus fünfjähriger Kriegsgefangenschaft in Sibirien nach Deutschland zurückgekehrt war.

Großvater berichtete uns gleich nach dem Telefongespräch davon.

»Der Arno ist kein Preuße mehr. Er hat gesagt, er könne sich nicht an feste Termine halten, aber er käme irgendwann einmal bei uns vorbei.«

Nun war er also da.

Er war ein sehr hübscher Mensch, blaß, aber hübsch. Er hatte sehr schöne Hände und eine sanfte, melancholische Stimme. Er sprach deutsch mit einem Akzent und benützte manchmal französische oder russische Ausdrücke.

Edwin und Arno wurden auf Anhieb Freunde. Sie hatten zwei unerschöpfliche Gesprächsthemen, von denen ich nichts verstand: die Anarchisten und die Pointillisten. Es gab großes Gelächter, als sich herausstellte, daß ich die Pointillisten ebenfalls für Revolutionäre hielt.

»In gewissem Sinne sind sie es auch«, erklärte mir Onkel Arno und zeigte mir ein Buch, in dem einige Bilder von einem gewissen Paul Signac abgedruckt waren. »Er war der erste Maler«, erzählte Onkel Arno, »der damit begann, seine Bilder aus klitzekleinen Farbtupfen zu gestalten, die sich erst in einem gewissen Abstand für das menschliche Auge zu Formen und Umrissen verbinden.«

Damals konnte ich mit dieser Erklärung nicht viel anfangen, aber heute, wenn ich vor dem Fernsehschirm sitze, muß ich oft an Onkel Arno und an die pointillistischen Maler denken, die mit ihrer Maltechnik die Übertragungsmöglichkeiten des Fernsehens vorexerziert haben.

Auch Großvater freute sich über den Besuch, und gleich in den ersten Tagen sagte er einmal zu Mutti: »Diese jungen Leute tun uns sehr gut. Oft mache ich mir Vorwürfe, daß du dein Leben mit einem alten Knacker wie mir verbringen mußt.«

Muttis Antwort war sehr diplomatisch: »Aber Großvater, ich verbringe mein Leben mit meinen Kindern. Wir wohnen halt alle bei dir.«

Großvater lachte. »So kann man die Sache auch sehen.«

Aber auch Mutti empfand den Besuch als angenehm. Mir fiel auf, daß sie sich am Tag öfters umzog als sonst, denn normalerweise zog sie sich erst zum Abendessen um. Sie legte dann ihr ›Tageskleid‹ ab, wie sie das manchmal kommentierte.

Neuerdings zog sie sich jedoch schon zum Mittagessen um, manchmal wechselte sie auch am Nachmittag die Kleider. Sie kleidete sich auch anders als sonst. Statt ihrer geliebten engen Röcke und hochgeschlossenen Blusen trug sie jetzt mit Vorliebe Kleider, die sie sich aus Berlin mitgebracht hatte.

Dieser Wandel war bestimmt auf eine Bemerkung von Onkel Arno zurückzuführen. Ich hatte gehört, wie er einmal zu Mutti sagte: »Warum trägst du eigentlich immer diese Lehrerinnenblusen, Elisabeth? Ich habe stets das Gefühl, du trägst mich als bösen Buben in dein Klassenbuch ein.«

Schon am selben Abend hatte Mutti dann ein anderes Kleid angezogen, aber eines aus der Mottenkiste — Reformkleider nannte man so was und verspottete sie als »Hängesäcke«.

Sie fragte Arno: »Gefalle ich dir so besser?«

Arno sagte nichts, doch Großvater grollte: »Hör mal zu, ich bemerke eigentlich nie, was du an hast, aber das Ding sticht selbst mir in die Augen. Zieh's bitte wieder aus!«

Mutti ging zurück auf ihr Zimmer und kehrte in einem neuen Berliner Kleid zurück. Sie wurde mit Applaus empfangen.

Nach dem Abendessen wurde oft Schach gespielt. Meistens spielte Großvater gegen Edwin, Mutti gegen Arno. Einmal sah ich, wie Arnos Fuß unter dem hochbeinigen Schachtisch nach Muttis Fuß tastete und ihn auch berührte. Mutti zog ihren Fuß zurück.

Normalerweise wurde bei uns jeden Abend eine Flasche Wein aufgemacht, was Martin dann mit vornehmer Umständlichkeit zelebrierte. Welche Sorte Wein aus dem Keller geholt werden sollte, bestimmte Großvater beim Abendessen. Er mußte im Geschmack zu dem Wein passen, den wir bei Tisch getrunken hatten. Ich schreibe »wir«, weil Robi und ich zum Essen auch regelmäßig ein halbes Gläschen trinken durften.

Während des Besuches wurde von Abend zu Abend mehr und mehr Wein konsumiert. Vier bis fünf Flaschen statt der obligaten einen Flasche. Die Hälfte davon trank Onkel Arno allein, wie ich einmal einer Bemerkung Großvaters entnahm, als er mich außer Hörweite wähnte.

»Das ginge ja noch«, meinte Großvater, »aber dazu auch noch ununterbrochen Korn! Der Kerl ist ein Säufer.«

Onkel Arno konnte nicht nur trinken, er konnte auch interessant über Weine plaudern. Er kannte alle Weinbaugebiete Frankreichs zwischen Marne und Vesle, zwischen Reims und Epernay. Sein Lieblingsgetränk jedoch war der französische

Champagner, der bei uns damals nicht zu haben war. Onkel Arno bedauerte das sehr und zitierte wehmütig Wilhelm Busch:

>»Wie lieb und luftig perlt die Blase
der Witwe Klicko in dem Glase...«

Er hat uns bereitwillig erklärt, daß Busch damit die französische Champagnermarke Veuve Cliquot gemeint hat. Und er fügte hinzu, seine Schwärmerei habe künstlerische Ursachen. Er hatte nämlich monatelang in der Champagne gelebt und gemalt. Nicht nur Landschaftsbilder, sondern auch in der Abtei Hautvillers, wo einst der Mönch und Kellermeister Dom Perignon den besten aller Champagner, komponiert hatte.

Großvater bedauerte, keinen echten Champagner bieten zu können, aber Edwin freute sich: »Jetzt weiß ich schon, was ich Ihnen zum Geburtstag schenken werde!«

Onkel Arnos Geburtstag stand nämlich kurz bevor. Nicht daß er uns etwa auf unfeine Weise darauf aufmerksam gemacht hätte, Großvater bekam es zufällig heraus, als er in seinen Familiendokumenten nach irgend etwas suchte. Auf Muttis Vorschlag wurde beschlossen, Arno zu Ehren eine Gesellschaft zu geben.

»Nicht viele Leute, höchstens zwanzig«, sagte Mutti; aber zum Schluß wurden es doch dreißig.

»Ich wollte niemanden vor den Kopf stoßen«, entschuldigte sich Mutti vor sich selber.

Auf Edwins Wunsch waren auch Herr Deckel und Fräulein Schuster eingeladen worden. Da die armen Lehrersleute über keine Kutsche und Pferde verfügten, holte Edwin sie mit Bastard ab, den Großvater großzügig zur Verfügung stellte.

Ich hörte, wie er den Autoschlüssel Edwin überreichte und sagte: »Ein Glück, daß ich manchmal so vergeßlich bin. In diesem Augenblick habe ich vergessen, ob Sie, junger Mann, einen Führerschein haben.«

Edwin holte nicht nur die Lehrer ab, sondern auch die kleine Kiste ›Dom Perignon‹, die schon seit zwei Tagen in Prausnitz auf dem Bahnhof lagerte. Edwin hatte nämlich gleich nach dem Champagner-Gespräch Onkel Herbert in Berlin angerufen und um Hilfe, beziehungsweise um einige Flaschen ›Dom Perignon‹ gebeten.

Onkel Arno freute sich sehr über Edwins Geschenk. Er wollte die sechs Flaschen gleich für die Gäste des Geburtstagsfestes beisteuern, aber Großvater wehrte ab.

»Das hieße Perlen vor die Säue werfen«, rief er aus. »Außer dem Grafen H. kann hier den guten alten Mönch keiner richtig schätzen. Du nuckelst deinen Champagner am besten allein.«

Das tat Onkel Arno dann auch, leider mit sehr unangenehmen Folgen.

Der Abend verlief an sich sehr nett. Joachim — ich nannte den Lehrer Deckel in Gedanken immer beim Vornamen — tanzte dreimal mit mir, zweimal mit Mutti, einmal mit Selma und sonst mit Fräulein Schuster. Onkel Arno tanzte nur mit Mutti, ich habe wenigstens nicht gesehen, daß er eine andere Dame aufgefordert hätte. Wenn er nicht tanzte, trank er.

Das Tanzen machte mir, von Joachims Nähe abgesehen, kein besonderes Vergnügen und den anderen wahrscheinlich auch nicht. Hochwürden Mazurek hatte Großvater eine polnische Zigeunerkapelle aufgeschwatzt, aber die Zigeuner konnten einfach nicht zum Tanz aufspielen — ohne Vorwarnung änderten sie dauernd das Tempo, wenn ihr Primas gerade Lust dazu verspürte.

Wirklich lustig wurde es nur einmal, als Basti irgendwie in den Saal schlüpfen konnte und bellend hinter den wirbelnden Röcken herlief und die Waden der Damen attackierte. Es entstand ein mächtiges Gekreische, und Robi und ich mußten unsere gesammelte Autorität aufbieten, um den verrückten Köter wieder aus dem Saal zu schaffen. Robi und ich mußten um zwölf Uhr ins Bett, da Mutti bemerkt hatte, daß wir heimlich mehr Wein

getrunken hatten, als für unseren Gleichgewichts-
sinn gut war. Ich schlief sofort ein. Aber nach ein
paar Stunden wurde ich durch polternde Geräu-
sche aufgeweckt. Ich dachte, es seien die letzten
Gäste, die sich etwas lautstark verabschiedeten,
und schlief wieder ein.

Am Abend war besprochen worden, daß wir uns
wegen der bevorstehenden langen Nacht erst um
elf Uhr zum Frühstück treffen würden. Robi und
ich waren früher wach und besuchten die Pferde.

Als wir das Frühstückszimmer betraten, saßen
Mutti, Großvater, Edwin und zu unserer Überra-
schung auch Fräulein Schuster und Joachim
Deckel am Tisch.

Mutti seufzte gerade: »Dieser Eklat! Dieser
Eklat!«

Ich wußte nicht, was das Wort bedeutete, und
schaute Robi fragend an.

Aber der zuckte die Schultern und flüsterte mir
zu: »Ich schaue nach, wenn wir gefrühstückt haben.«

Nachdem wir uns gesetzt hatten, strahlte ich Joachim an. »Sie sind noch da, Herr Lehrer?«

Bevor Joachim anworten konnte, sagte Edwin:
»Meine Schuld. Ich war so blau, daß ich nicht
mehr Auto fahren konnte. So mußte der arme
Herr Deckel die Nacht statt auf seinem spartani-

schen Feldbett auf weichen Daunen unter einem Baldachin verbringen.«

Niemand lachte, niemand sagte etwas. Ich stellte fest, daß am Tisch eine gedrückte Stimmung herrschte, und gleichzeitig bemerkte ich das Fehlen von Onkel Arno. »Onkel Arno schläft noch?« erkundigte ich mich.

»Wahrscheinlich«, antwortete Großvater. »Aber nicht hier, sondern im Zug nach München. Bolko hat ihn um sieben Uhr nach Prausnitz gebracht.«

Ich wunderte mich: »So plötzlich?«

Edwin, der offenbar noch unter Alkoholeinfluß stand, kicherte. »Noch plötzlicher.«

Niemand reagierte auf diese Bemerkung, wieder herrschte Schweigen am Tisch. Nur ein Schlürfen war hörbar, als Joachim seinen Tee trank. Ich muß sagen, das desillusionierte mich etwas.

Nach dem Frühstück sah Robi in dem dicken Buch nach, was ›Eklat‹ bedeute, aber wir wurden daraus nicht sehr klug. Es stand da: ›Glanz, Aufsehen‹. Das sagte uns gar nichts, und so stürzten wir uns auf Edwin, der uns niemals wie Kinder behandelt hatte, und bestürmten ihn mit Fragen darüber, was sich denn in der Nacht ereignet hatte. Wir erfuhren, daß, nachdem alle anderen Gäste gegangen waren, Onkel Arno Fräulein Schuster, Joachim und Edwin auf sein Zimmer geladen hatte, um die »sechs Mönche zu vernichten«. Er meinte die sechs Flaschen ›Dom Perignon‹.

Nachdem vier Flaschen geleert waren, zogen sich Fräulein Schuster und Joachim in ihre Zimmer zurück.

Nach der fünften wollte auch Edwin gehen, aber da beschloß der völlig betrunkene Onkel Arno: »Die sechste Flasche trinke ich im Bett von der Elisabeth!«

Edwin, der selbst kaum noch auf den Füßen stehen konnte, gelang es nicht, ihn zurückzuhalten.

Onkel Arno wankte in Muttis Zimmer, die Flasche und zwei Gläser in der Hand.

Mutti schrie um Hilfe, und Großvater warf Onkel Arno die Treppe hinunter und dann aus dem Haus.

Ein genialer Bursche

Der Eklat hat auch unsere Bediensteten stark beschäftigt, wie ich nach Onkel Arnos unrühmlichem Abgang bei meinen gelegentlichen Besuchen in der Küche erfahren mußte. Hedwiga und die anderen besprachen immer ungeniert alle Ereignisse, ohne sich um meine Anwesenheit zu kümmern, da sie genau wußten, daß ich nicht petzte.

So hörte ich nacheinander verschiedenes über Onkel Arnos Untaten. Der alte Martin erzählte — und seine Stimme zitterte noch mehr als sonst —, daß er Baron Arno zweimal nachts im Weinkeller dabei erwischt habe, wie er sich mit Wein eindeckte. Allerdings mit dem billigsten Landwein.

»Mir ist es egal, was ich saufe«, habe er in betrunkenem Zustand zu Martin gesagt. »Es kommt mir nicht auf Qualität, sondern auf Quantität an.«

Martin verriet ihn nicht, aber er ließ sich von Großvater den Schlüssel zum Weinkeller geben und schloß den Keller jeden Abend sorgfältig ab. Trotzdem fand Mathilda, wenn sie vormittags das Zimmer aufräumte, leere Flaschen im Papierkorb oder unter dem Bett. Allerdings waren es Schnapsflaschen: Korn oder polnischer Wodka. Mathilda forschte nach, und bald legte Bolko ein Geständnis ab: Er mußte fast jeden Tag aus dem Dorf Schnaps für Arno besorgen. Gegen sehr gutes Trinkgeld, versteht sich.

Ich hielt den Mund, nur Edwin fragte ich, ob er davon wußte, daß Onkel Arno jede Nacht in seinem Zimmer allein weiter getrunken habe.

»Nicht allein«, gab Edwin zu, »manchmal war ich auch dabei. Allerdings auch dann trank er allein, ich mach' mir nicht viel aus Alkohol. Aber dein Onkel ist leider ein notorischer Trinker. Der Krieg ist schuld daran. Der Krieg und Sibirien.«

»Und wer ist schuld am Krieg?« fragte ich. Eine Frage, die mich schon immer interessiert hatte.

»Du«, antwortete Edwin, »und ich und Robi, dein Großvater und deine Mutter. Die Hedwiga, der Martin, der Lehrer Deckel — die ganze Menschheit.« Er sagte das richtig wütend. Als er meine Betroffenheit bemerkte, winkte er ab.

»Aber das verstehst du nicht.«

Ich verstand es wirklich nicht.

Einige Tage später gab es zwischen Großvater und Edwin eine Debatte. Edwin hatte von seinem Vater ein Exemplar der Berliner Zeitschrift ›Der Querschnitt‹ bekommen, in der von Edwin ein Artikel abgedruckt war, die ersten veröffentlichten Zeilen seines Lebens.

Stolz gab er die Zeitschrift Großvater zum Lesen, und der sprach ihn beim Kaffeetisch darauf an.

»Wenn ich Ihr Geschreibsel richtig verstanden habe, junger Mann, stehen Sie auf dem absurden Standpunkt, daß zwischen dem Kapitalismus und dem Sozialismus kein Unterschied besteht?«

Edwin nickte ernsthaft. »Kein sittlicher Unterschied. Beide Gesellschaftsformen sind auf einem Prinzip gegründet und streben ein Ziel an: die Arbeit. Die Sozialisten beten die Arbeit als staatserhaltendes Element öffentlich an, die Kapitalisten stimmen dieser These stillschweigend zu und erwarten von ihren Mitbürgern Leistung und nochmals Leistung. Es gibt also zwischen der oft verschmähten bürgerlichen und der hochgelobten sozialistischen Lebensform im Grunde genommen keinen Unterschied.«

Ich hörte dieser Unterhaltung mit offenem Mund zu. Natürlich verstand ich keine Silbe und würde heute kein Wort mehr wiedergeben können, wenn ich die Zeitschrift nicht aufgehoben hätte. Keineswegs wegen Edwins Beitrag, sondern wegen der interessanten Bilder. Sie befindet sich noch immer in meinem Besitz.

Großvater fragte Edwin: »Und haben Sie statt der Arbeit ein anderes Idol in der Tasche? Etwa die Religion?«

Edwin schüttelte den Kopf. »Bestimmt nicht. Vielleicht, wenn die christlichen Lehren die ganze Welt erobert hätten. Aber sie schafften es nicht, dank Heinrich dem Achten von England, Martin Luther, Johann Hus und einigen anderen. Die Welt würde bestimmt anders aussehen, wenn alle Menschen nach dem gleichen religiösen Prinzip leben würden, nach der Bibel oder meinetwegen nach dem Koran.«

Großvater lächelte. »Das steht wortwörtlich so in Ihrem Artikel. Trotzdem würde ich Sie nicht für einen religiösen Fanatiker halten.«

Edwin zuckte die Schultern. »Mit Recht nicht. Die Religion kann als moralisches Kriterium betrachtet werden, aber nicht als wirtschaftliches. Ein Prinzip zu finden, das beide vereint, betrachte ich als meine Lebensaufgabe.«

Großvater lachte. »Viel Glück, junger Mann!«

Am darauffolgenden Tag reiste Edwin ab. Er gestand offen, daß er die Untätigkeit und die dörfliche Stille nicht länger aushielte.

Großvater, Robi und ich brachten ihn mit Bastard nach Prausnitz zum Zug. Wir winkten ihm nach, als der Zug sich in Bewegung setzte.

Großvater murmelte: »Ein genialer Bursche. Aus dem wird mal ein ganz großer Mann, wenn er nicht im Irrenhaus oder im Zuchthaus landet.«

Antonius wird eingebrochen

Antonius machte uns Sorgen. Er hatte sich nicht so entwickelt, wie man es von ihm erwartet hatte. Isi Bucheim war am meisten enttäuscht, als er eines Tages — Antonius war knapp ein Jahr alt — mit einem Jockey und mit einem ganz leichten Rennsattel kam, um Antonius »einzubrechen«. Ein brutales Wort, aber so nennt man es nun mal in der Fachsprache, wenn die jungen Vollblüter zum erstenmal gesattelt werden.

Als Bucheim Antonius sah, erklärte er sofort, das Einbrechen müsse mindestens um drei Monate verschoben werden, der Jährling sei noch zu schwach. Er bot Großvater an, Antonius zurückzunehmen, stieß aber auf unseren lauten Protest. Großvater lehnte auch sofort ab.

»Den kleinen Kerl gebe ich nicht mehr her«, erklärte er. »Der Paczensky soll ihn aufpäppeln. Es gibt doch jetzt schon sehr gute Präparate.«

»Ich halte nicht viel von Präparaten«, meinte Bucheim. »Hier nützt es, dort schadet es.« Dann kicherte er. »Außerdem kann der Paczensky besser mit Stuten umgehen. Er hat fast gleichzeitig zwei Bauernmädchen geschwängert.«

Der alberne Robi lachte.

Großvater sagte zu Bucheim: »Ich werde Sie als Erzieher für meine Enkelkinder engagieren, Isi.«

Isi wehrte ernsthaft ab: »Na, das ist nichts für den Isi. Geben Sie mir lieber Antonius für acht Wochen, ich werde ihm schon Muskeln verpassen. Auf natürlichem Wege.«

Großvater willigte ein. Am nächsten Tag wurde Antonius mit einem Pferdetransportwagen abgeholt und nach acht Wochen wieder zu uns zurückgebracht. Er war kaum wiederzuerkennen. Er war größer und kräftiger geworden, aber auch rabiater. Robi reichte ihm zwei Würfelzucker zur Begrüßung, als er aber noch einen dritten verlangte und Robi ihm nichts mehr gab, beförderte Antonius ihn mit einem Kopfstoß auf den Heuhaufen in der Ecke. Sicher war das nicht bös gemeint, für ihn war das nur ein kleiner Schubs.

»Noch zwei Wochen, dann wird er eingebrochen«, verkündete Bucheim, der auf seine Leistung und auf Antonius sehr stolz war.

Endlich waren auch diese zwei Wochen um.

Isi Bucheim erschien wieder, mit einem Stallburschen namens Bruno, der kaum älter als fünfzehn und kleiner war als ich.

Zuerst wurde Antonius an die Longe genommen.

Dies ließ er sich noch ruhig gefallen, er trabte auch anfänglich freundlich im Kreis. Aber als Bucheim die Peitsche knallen ließ, um ihn zur schnelleren Gangart anzutreiben, begann er auszuschlagen und an der Leine zu zerren. Gutes Zureden half. Antonius beruhigte sich, lief wieder im Kreis herum, von Zurufen und Peitschenknallen angefeuert. Schließlich wurde er sichtlich müde, er durfte anhalten. Bruno, zu dem Antonius offenbar Vertrauen hatte, strich ihm über Kopf und Hals und redete beruhigend auf ihn ein. Währenddessen schlich sich Bucheim an das Pferd heran, legte ihm behutsam und sanft den kleinen Sattel auf den Rücken und zog den Gurt locker durch die Schnalle. Dann übernahm er die Longe, und es begann erneut der Rundlauf.

Aber der Sattel auf dem Rücken behagte Antonius gar nicht. Er begann zu buckeln, er schlug aus, die Peitsche knallte und traf unseren Liebling sogar an den Hinterbeinen.

Ich war empört, doch Großvater besänftigte mich: »Es geht nicht anders.«

Nach einer Stunde war das Einbrechen zu Ende. Zumindest schien das so. Das Fell von Antonius dampfte, und seine Beine zitterten. Vorsichtig hob Bucheim Bruno in den Sattel — aber im nächsten Augenblick lag der Stalljunge schon am Boden.

Antonius schlug zuerst hinten aus, dann stieg er; es war eine meisterliche Abwehrreaktion.

Doch Bucheim war zufrieden.

»Fortsetzung folgt morgen«, sagte er zu uns.

Am dritten Tag konnte Bruno schon im Sattel bleiben, solange er wollte.

»Und wann werde ich ihn reiten dürfen?« fragte Robi.

Bucheim musterte ihn von Kopf bis Fuß. »Erst mußt du etwas abnehmen, und Antonius muß zunehmen. Du darfst nicht mehr wiegen als achtundvierzig Kilo. Außerdem mußt du lernen, im Rennsitz zu reiten, also im Stehen.«

»Warum muß das sein?« fragte Robi. »Das wollte ich schon immer fragen.«

»Damit das Pferd im Rennen nicht auf der Hinterhand belastet wird. Von dort nimmt es nämlich seine ganze Kraft her. Die Hinterhand ist wie ein Katapult.«

Antonius, der gerade von Bruno im Schritt im Kreis herum geführt wurde, schien Bucheims Worte bestätigen zu wollen, denn er keilte im Vorbeigehen sanft aus, und traf Bucheim in den Hintern.

Der Pferdezüchter flog in meine Arme, schaute dem Übeltäter nach und lächelte wie ein Verliebter, der alles verzeiht. »Ist er nicht süß?«

Ferien auf Sylt

Als wir eines Morgens in die Schule kamen, waren alle Lehrer und zahlreiche Schüler vor dem Gebäude versammelt. Bürgermeister Wankle war auch da sowie ein Gendarm. Alle betrachteten erstaunt die vor kurzem frischgestrichenen Wände der Schule, die jetzt mit merkwürdigen schwarzen Kreuzen bemalt waren.

»Das sind Hakenkreuze«, erklärte uns Herr Deckel auf Robis Frage. Seitdem er bei uns eingeladen gewesen war, behandelte er uns immer sehr freundlich und erkundigte sich öfter, ob wir schon von Edwin gehört hätten. »Hoffentlich passiert ihm nichts«, sagte er immer wieder.

Jetzt berichtete er uns, daß diese sogenannten Hakenkreuze über Nacht auf die Wände gemalt worden seien — und nicht nur hier, sondern auch im Dorf seien verschiedene Häuser verunstaltet worden. Dann schickte er uns in unser Klassenzimmer und versprach, später noch einiges über die schwarzen Kreuze zu erzählen. Das tat er dann auch.

Wir erfuhren, daß dieses Gebilde, das man Hakenkreuz nenne, eigentlich Swastikakreuz heiße, und aus prähistorischen Zeiten stamme. Es sei bei den Buddhisten in Indien ein religiöses Symbol gewesen, bei uns sei es das Wahrzeichen einer Partei, die sich Nationalsozialistische Deutsche Arbeiterpartei nenne und deren Anführer ein gewisser Adolf Hitler sei.

»Ein Österreicher, der hier nichts zu suchen hat«, erklärte Joachim streng.

Die Kinder wollten wissen, warum sie eigentlich ausgerechnet unsere Schule beschmiert hätten, und Deckel meinte, daß die Nazis, wie man sie spöttisch nenne, alles beschmierten, was sich ihnen als Werbefläche anböte. Sie täten das natürlich nur heimlich, meistens in der Nacht, damit sie nicht wegen Sachbeschädigung zur Verantwortung gezogen werden könnten. Sie verfügten über ganze Trupps von Schmierern, junge Leute, die sogar Uniform trugen. Braunes Hemd, schwarze Hosen, schwarze Krawatte.

Braunes Hemd?

Ich erinnerte mich, daß ich einmal von meinem Erkerplatz im zweiten Stock aus Bolko beobachtet hatte, wie er in einem derartigen Aufzug den Stall verließ. Ich hatte mich noch gewundert, daß er nicht den Weg durch den Park genommen hatte, sondern über die Felder gewandert war.

Nach der Schule erzählte ich Robi davon und

fragte ihn, ob wir darüber mit Großvater sprechen sollten, aber Robi winkte ab.

Über die Hakenkreuze berichteten wir natürlich Großvater, und er bemerkte: »Hoffentlich war Bolko nicht bei den Schmierfinken dabei.«

Großvater wußte also, daß Bolko zu den Braunhemden gehörte.

Robi hätte noch gern einiges über diese Leute erfahren, aber in diesem Augenblick kam Mutti ins Zimmer.

»Hast du dir die Sache schon überlegt, Großvater? Wohin fahren wir in den Sommerferien? Nach Norderney oder nach Sylt?«

»Ich fahre auf jeden Fall nach Sylt«, erklärte Großvater. »Wo ihr hinwollt, das ist eure Sache.«

Erst jetzt erfuhren wir, daß Tante Eva uns wieder nach Berlin eingeladen hatte, Großvater aber in der Zeit gern auf der Nordseeinsel Sylt, die er von jeher liebte, einige Wochen verbringen wollte. Er ließ Mutti wissen, daß er sich freuen würde, wenn auch wir mitkämen.

Robis erste Frage war: »Gibt es auf Sylt Kinos?«

Großvater war der Ansicht, es gäbe sicher keine, und meinte, während der Ferien sollte man auch nicht in dunklen Kinos hocken.

»Ihr könntet dort im Meer baden, im Sand liegen, Burgen bauen und mit dem Fischer Jansen, den ich gut kenne, auf Krabbenfang fahren. Außerdem würdet ihr mir eine Freude machen.«

Ich sagte sofort ja und Robi nach kurzem Überlegen ebenfalls, und so beschlossen wir, für vier Wochen nach Sylt zu verreisen. Das war damals ein abenteuerliches Unternehmen, da man noch nicht mit der Eisenbahn über den Hindenburgdamm bis nach Westerland fahren konnte.

Wir nahmen den Schlafwagen nach Hamburg, ich mit Mutti in einem Abteil, Robi mit Großvater im Nachbarabteil. Die Verbindungstür hatten wir offengelassen, und so konnten wir vor dem Einschlafen noch lange miteinander plaudern. Hedwiga hatte uns Proviant eingepackt, obwohl auch ein Speisewagen dem Zug angeschlossen war. Großvater ließ von dort nur eine Flasche schweren Burgunder kommen, und Robi und ich bekamen auch ein Glas, quasi als Schlafmittel.

In Hamburg mußten wir umsteigen. Großvater erklärte uns, daß wir über Dänemark nach Hoyer fahren müßten, von wo die Sylter Dampfer abfuhren. Hoyer hatte früher zu Deutschland gehört, aber nach dem verlorenen Krieg war der Hafen im Jahre 1920 an Dänemark gefallen. Die Waggons mußten in der Station Süderlügum, kurz vor der dänischen Grenze, plombiert werden, damit niemand auf dänischem Boden aussteigen konnte.

In Hoyer wurden wir dann von grimmigen, mit Gewehren bewaffneten Zollbeamten zu dem Dampfer ›Freya‹ geführt.

»Wie das Schlachtvieh!« schimpfte Großvater, und Mutti seufzte: »Entwürdigend!«

Robi und ich fanden die Sache sehr aufregend.

Auf dem Schiff traf Großvater einen alten Bekannten, der Günther Christiansen hieß und den Großvater als Käpt'n titulierte, obwohl er gar keine Uniform trug. Es war ein Kapitän a.D., ein geborener Sylter, dessen größte Angst es war, wie er uns gestand, zufällig mal anderswo zu sterben als auf Sylt. Dieser Käpt'n konnte interessante Dinge von der »christlichen Seefahrt«, wie er es nannte, erzählen, allerdings verstanden wir wegen seines komischen Plattdeutsch nur die Hälfte. So erzählte er zum Beispiel, daß er mit der ›Freya‹ im Jahre 1922 durch schweres Treibeis auf eine Sandbank geschoben worden und dort sechs Wochen lang steckengeblieben war.

»Dat eerste Maol in mien Lewen, dat ick omn Storm betd heff. He kwam ook van Süd-West und freede us van de male Sandbank.«

In Munkmarsch erwartete uns direkt im Hafen eine niedliche Kleinbahn, die uns mit Hilfe der Lokomotive, die Maximilian hieß, nach Westerland fuhr. Immer wieder stieß Maximilian schrille

Pfiffe aus, um die Schafe, die zwischen den Schienen herumliefen, zu vertreiben.

In Westerland wohnten wir im Hotel ›Stadt Hamburg‹.

»Das beste Essen weit und breit«, rühmte Großvater die Küche des Hotels, als Mutti monierte, warum wir nicht direkt an der See wohnten. »Die fünf Minuten werden wir außerdem wohl noch laufen können!« fügte er ärgerlich hinzu. Er liebte es nicht, wenn man seine Entscheidungen kritisierte.

Zum Abendessen gab es Hummer. Wir, Robi und ich, konnten nun beweisen, daß wir in Berlin gelernt hatten, mit den Instrumenten umzugehen, die man beim Hummeressen benötigte.

Großvater hatte den Käpt'n Christiansen eingeladen und auch dessen Enkeltochter Moiken, die so alt wie Robi war. Sie hatte unglaublich blaue Augen und weißblonde Haare. Dazu eine sehr hübsche, klassische Nase — nur den Mund tat sie nie auf, außer beim Essen. Nicht einmal ein Ja oder Nein konnte man aus ihr herausholen, sie nickte nur, mit einem verschmitzten Lächeln, oder schüttelte den Kopf.

Großvater wunderte sich über ihre Schweigsamkeit: »Mädchen, du redst ja gar nicht!«

»Dat kummt noch«, verteidigte sie der Käpt'n.

„We möt töwen, bit se updawd.«

»Und wann taut sie auf?« fragte Robi, der einige Male versucht hatte, mit ihr ins Gespräch zu kommen.

»Dat mag woll'n poar Moande dürn«, rief der Käpt'n und lachte.

Am nächsten Morgen gab es ein großes Hallo, als wir mit Mutti aus dem Hotel kamen, um zum Strand zu gehen. Großvater stand schon da — mit einem Esel.

»Der ist für dich«, sagte er zu Mutti. »Damit du nicht zu Fuß zu gehen brauchst.«

Mutti war erstaunlicherweise nicht beleidigt. Sie lachte und setzte mich und Robi auf den Esel. So zogen wir zum Strand, erregten aber keineswegs Aufsehen, denn damals war es gang und gäbe, Esel zu mieten und sogar auf der Promenade auf ihnen heimzureiten.

Das unendliche Meer beeindruckte mich sehr, der Strand weniger. Er bot ein merkwürdiges Bild: Da standen große, einladende Strandkörbe, die ringsherum von Sandwällen umgeben waren. Diese Strandburgen hatten etwa drei bis vier Meter Durchmesser, so daß die Burgherren genügend Abstand voneinander hatten. Meistens steckten Fahnen in den schmutziggrauen Strandkörben, oder der Name des Burgherrn prangte auf dem Sandwall, die Buchstaben aus Seemuschelschalen zusammengesetzt. Es gab Aufschriften wie »Eintritt verboten« oder »Bleibe draußen!« und ähnliches mehr.

Wir mußten auf der Holzplankenpromenade, die am Strand entlang angebracht war, ein längeres Stück wandern, bis wir unseren Strandkorb erreichten. Der Käpt'n und sein Enkelkind waren schon da; sie hatten die Burg, die der Vorbesitzer vernachlässigt hatte, wieder instand gesetzt.

Nachdem wir in der Kabine nacheinander unsere Badeanzüge angezogen hatten, ermahnte uns Großvater: »Schwimmt aber nicht zu weit hinaus!« Wir starrten ihn entgeistert an, und Mutti rief entsetzt: »Aber ich bitte dich — die Kinder können doch überhaupt nicht schwimmen!«

Großvater schlug sich gegen die Stirn. »Ach, du heiliger Strohsack! Daran habe ich ja gar nicht gedacht!« Er wandte sich an Herrn Christiansen: »Wo kann man hier schwimmen lernen?«

Der Käpt'n zeigte aufs Meer. »Överoal wo't even is. Un hier is't överoal even an de Waterkant.«

»Könntest du den Kindern nicht das Schwimmen beibringen?« fragte Großvater.

Der Käpt'n lachte. »Ick? Ick kann jo sülfst nich swimmen.«

»Ein alter Seebär wie du kann nicht schwimmen?«

»Seebärn hebben Vreest för'd Woter. Obber de Moiken swimmt as'n Delphin.«

Moiken reichte mir unaufgefordert die Hand und sagte laut und vernehmlich: »Komm!«

Es war das erste Wort, das sie in unserer Gegenwart gesprochen hatte.

Während wir auf das Meer zugingen, fragte Robi: »Sag mal, Moiken, warum bist du eigentlich so schweigsam?«

Das Mädchen blickte ihn von der Seite an. »Wenn du jedesmal, wenn du den Mund aufmachst, eine drauf kriegst, würdest du auch lieber schweigen.«

»Wer tut denn das?« fragte ich mitleidig.

»Der Vater«, antwortete Moiken. »Aber nur, wenn er besoffen ist. Leider ist er immer besoffen.«

»Schlägt dein Großvater dich auch?« wollte ich wissen.

Moiken schüttelte den Kopf. »Der nie. Der ist überhaupt der netteste Mensch, den ich kenne.«

Das fand ich mit der Zeit auch. Der Käpt'n kümmerte sich um uns während unseres Sylter Aufenthalts wie ein Vater. Er zeigte uns alles, was uns seiner Ansicht nach interessieren könnte, zum Beispiel das berühmte Rote Kliff, an dem in früheren Zeiten viele Schiffe im Sturm zerschellt waren. Er fuhr mit uns und mit dem Fischer Jansen zum Heringsfang hinaus, und die beiden führten uns auch die sogenannten »Fischgarten« vor, die dem Fang von Schollen und Aalen dienten. Wir sahen die malerischen Windmühlen von Tinnum und Morsum, die heute leider auch nicht mehr existieren. Ein ander Mal fuhren wir mit der Inselbahn an die Nordspitze von Sylt, nach List, und besichtigten die zwei riesigen Austernbassins.

Nach List kamen auch Mutti und Großvater mit, um in der Austernstube des Gasthauses ›Königshafen‹ frische Austern zu schlürfen. Dort setzte sich ein Bekannter von Käpt'n Christiansen zu uns, ein Grundstücksmakler namens Groot, der Großvater Grundstücke verkaufen wollte. Ein Quadratmeter sollte nur zwei Pfennig kosten. Großvater sagte nein — und solange er lebte, hat er dieses Nein verflucht.

Der sportliche Teil wurde von Großvater organisiert. In der Frühe, bevor wir zum Strand gingen, spielten wir Tennis. Gegen Robi spielte ich nicht gerne, denn er schnitt die Bälle immer so, daß ich nie wußte, in welche Richtung sie sprangen. Ich hielt das für unfair. Glücklicherweise besorgte uns der Käpt'n Partner, damit wir Doppel spielen konnten.

Nachmittags spazierte Großvater mit uns über die

wunderschöne Heide nach Kampen. Dort lebte ein Freund von ihm, ein ehemaliger Regimentskamerad, der einen kleinen Reitstall besaß. Zehn Pferde, die alle sehr gut gepflegt waren. Die Preewitzens bekamen natürlich die besten Rösser, und es war eine große Freude, mit ihnen im seichten Wasser am Strand entlangzugaloppieren.

Nachricht von unserem Vater

Wir waren gerade sieben Tage auf Sylt, als am Morgen im Frühstückszimmer neben Großvaters Gedeck ein Brief lag. Er war vom Verwalter Jan Krukofka, und dieser Brief brachte Großvater sofort in Harnisch.

»Ich habe dem Kerl doch ausdrücklich eingeprägt, nicht zu schreiben und keine Post nachzuschicken. Ich will von Getreidepreisen, Trockenheit, faulen Bauern, schlechtem Dünger und ähnlichem Schietkram vier Wochen lang nichts wissen.«

Ich lachte. »Den ›Schietkram‹ hast du vom Käpt'n, Großvater!«

Er beachtete mich nicht, sondern übergab den Brief Mutti. »Mach ihn auf, und wenn etwas Unangenehmes drin steht, erzähl es mir nicht.«

Als Mutti den Brief geöffnet hatte, stellte sich heraus, daß ein zweiter Brief darin enthalten war. Mutti überreichte diesen zweiten Brief Großvater. »Von Philipp. Für dich.«

Großvater schlitzte den Umschlag mit dem Obstmesser auf, begann zu lesen, und gleich nach der Lektüre der ersten Zeilen sagte er: »Mabel ist tot.«

Wir starrten ihn alle betroffen an.

Großvater las laut vor:

»Sie ist bei einer Fuchsjagd gestürzt, und das Pferd hat sie unter sich begraben. Sie erlitt schwere innere Verletzungen und starb nach drei qualvollen Tagen, obwohl sie von sieben Professoren behandelt wurde.

Ich war bei dem Unfall nicht dabeigewesen, da ich der Einladung zur Jagd nicht Folge leisten konnte. Wir haben gerade die Brotfabrik eröffnet, von der Dir Tschescherich berichtet hat. Mit Notabilitäten, Fotografen und Presse, wie es halt hier üblich ist.

Das Ganze geschah schon vor einer Woche. Ich konnte Euch nicht schreiben, es stürzte allerhand auf mich ein.

Ich bin von dem Unfall tief betroffen. Mabel war bestimmt nicht die große Liebe meines Lebens, aber sie war eine patente Frau, eine gute Kameradin. Und sie liebte mich. Und sie war sehr großzügig in allen Dingen des Lebens. Als wir erfuhren, in welchem Elend sich Deutschland befindet, redete sie mir immer wieder zu, ich solle Hetti und Robi nach Kalifornien kommen lassen. Aber sie hatte auch volles Verständnis dafür, daß ich das, aus Rücksicht auf Elisabeth, nicht tun konnte.

Gestern wurde ihr Testament eröffnet. Ich bin Alleinerbe. Da ich amerikanischer Staatsbürger bin, gibt es beim Antreten der Erbschaft keine Schwierigkeiten, außer den üblichen Formalitäten. Mabel hatte nur eine einzige Verwandte, ihre achtundsiebzigjährige Mutter Olga, die bei uns auf der Ranch lebt. Sie ist leider schon ein wenig senil, ihr einziges Vergnügen ist es im Rollstuhl herumzufahren und die Hühner zu füttern, wie sie das einst in Polen getan hat. Daß die Hühner das gar nicht nötig haben, weil sie in ihren Legehäusern maschinell gefüttert werden, das begreift sie nicht. Ich habe extra für sie ein Stück Gelände einzäunen lassen, mit freilaufenden Hühnern. Damals war ich noch Verwalter auf der Ranch, und ich glaube, damit hatte ich Mabels Herz, das nun nicht mehr schlägt, endgültig gewonnen. Soviel für heute. Ich hoffe, daß es Euch allen gutgeht!«

Großvater steckte den Brief umständlich in den Umschlag zurück, räusperte sich und sagte bedauernd: »Traurig. Aber ein schöner Tod.«

»Ach was!« erregte sich Mutti. »Für einen Kavallerieoffizier vielleicht, aber nicht für eine Frau.«

Ich möchte nicht behaupten, daß uns Mabels Ableben besonders bedrückte. Sie war uns schließlich fremd, keiner hatte sie persönlich gekannt; hie und da wurde sie noch in den nächsten Tagen erwähnt, dann aber nicht mehr.

Wir verbrachten die restlichen drei Wochen auf Sylt genauso wie die erste Woche: Sonnenbäder, Schwimmen, Tennisspielen und Reiten, bis wir die Heimreise angetreten haben.

Über Mabel wurde nicht mehr gesprochen, auch über Kalifornien nicht.

Doch als wir es uns in Hamburg im Zug bequem gemacht hatten, sagte Mutti: »Ich bin neugierig, ob uns zu Hause ein Brief von Philipp erwartet.«

»Lieber Bomben als menschliche Hand«

Unser Vater hat uns selber erwartet. In Breslau, auf dem Bahnhof.

Ich kletterte als erste aus dem Zug, und ich sah ihn auch als erste, und ich erkannte ihn sofort. Besser gesagt, ich wußte, daß er es war — unser Vater.

Robi sprang hinter mir aus dem Waggon.

Ich flüsterte ihm zu: »Dort steht unser Vater.«

Robi nickte. »Kann sein. Aber warum begrüßt er uns nicht?«

»Weil er nicht sicher ist, ob wir es sind«, antwortete ich.

Unser Vater stand nämlich wie angegossen da und starrte uns an.

Dann kletterte Großvater aus dem Waggon und half Mutti auf den Perron hinunter.

Jetzt setzte sich unser Vater in Bewegung und kam auf uns zu. Mutti erblickte ihn, sie stieß einen kurzen Schrei aus, wurde blaß und fiel tatsächlich in Ohnmacht, in Großvaters Arme.

Ich fand das sehr komisch. Es war das erstemal, daß ich jemand in Ohnmacht fallen sah, obwohl ich schon oft darüber gelesen hatte. Bei Balzac und bei der Courths-Mahler fielen die vornehmen Damen reihenweise in Ohnnmacht, die Dienstmädchen merkwürdigerweise nie. Irgend jemand hatte dann immer ein Riechfläschchen zur Hand, und die Damen kamen bald wieder zu sich.

Mutti auch, Großvater und Vater trugen sie auf eine Bank und scheuchten die Reisenden weg, die neugierig stehengeblieben waren. Ich öffnete Muttis Handtasche, die auf ihrem Schoß lag, und fischte die kleine Flasche Kölnisch heraus, die sie immer bei sich trug.

Unser Vater nahm mir die Flasche aus der Hand und sagte: »Ich danke dir, Hetti.«

Das waren die ersten Worte, die unser Vater zu mir sprach.

Er öffnete den Verschluß, beugte sich über Mutti und hielt ihr das Fläschchen unter die Nase. Kurz darauf schlug Mutti die Augen auf und schaute unseren Vater, der sich immer noch über sie beugte, mit einem langen Blick an. Dann sprang sie auf und flog ihm weinend um den Hals.

»Das läßt an Deutlichkeit nichts zu wünschen übrig,« brummte Großvater.

Nachdem Mutti unseren Vater aus der Umarmung entlassen hatte, wandte er sich an mich:

»Darf ich dich küssen, Hetti?«

»Aber ja«, sagte ich großzügig und breitete meine Arme aus.

Nach dem Kuß fragte er Robi: »Und wie ist es mit dir, Robi?«

Robi machte ein mürrisches Gesicht und erwiderte frech: »Ich bin kein großer Freund von verwandtschaftlichen Küssereien. Aber weil du es bist...«

Er hielt unserem Vater eine Backe hin, aber er bekam keinen Kuß.

Unser Vater lachte. »Dann bleiben wir eben beim Shakehand.«

Während unser Vater Robi die Hand schüttelte, knurrte Großvater: »Der Rotzbub müßte zwei hinter die Löffel kriegen. Jetzt siehst du, was aus Kindern wird, die ohne Vater aufwachsen.«

Unser Vater lachte wieder. »Manchmal können auch Großväter Kinder erziehen.«

»Ich nicht«, sagte Großvater mit ernster Miene. »Das sieht man an dir.«

Dann nahm er seinen Sohn in die Arme und drückte ihn lange und innig an die Brust.

Unser Vater war eigentlich nicht so, wie ich ihn mir vorgestellt hatte. Auf den Fotos sah er immer sehr ernst, beinahe grimmig aus, insbesondere wenn er hoch zu Roß saß.

Ich hatte Edwin, als ich ihm die Fotos zeigte, einmal darauf aufmerksam gemacht, aber Edwin hatte abgewinkt. »Das hat nichts zu sagen. Er hält sich in Heldenposen. Das ist eben soldatische Pflicht. Deshalb kann er durchaus ein netter Mensch sein.«

Edwin hatte recht gehabt. Unser Vater war ein sehr netter Mensch, den man vom ersten Augenblick an lieben konnte.

Robi war im Grunde auch meiner Meinung, allerdings war er etwas skeptisch: »Hoffentlich bleibt er so. Neue Besen kehren immer gut.«

Ich war ernsthaft böse. »Du kannst doch unseren Vater nicht mit einem Besen vergleichen!«

Wir gingen mit ihm den ganzen Tag im Schloß und auf dem Hof herum, aber viel Neues konnten wir ihm nicht zeigen — er kannte ja alles viel länger als wir. Er war hier geboren, er hatte hier gelebt, bis er vierzehn war und in die Kadettenschule kam. Die Ferien hatte er auch immer hier verbracht. Und schließlich war er auch schon einen Tag vor unserer Rückkehr von Sylt dagewesen.

»Mein erster Besuch galt Filou«, erzählte er. »Ich habe nicht geglaubt, daß er mich wiedererkennen würde, aber er tat es. Er hat mich liebevoll mit dem Kopf geschubst und an der Hosentasche nach Zucker geschnüffelt.«

Er blieb mit uns lange bei Aprilia und Antonius und fragte uns genau nach der Abstammung aus

Vom Zustand des Gutshofes schien er nicht begeistert zu sein, wie wir von seinem Gesichtsausdruck ablesen konnten, als wir die Viehställe besichtigten.

Einmal seufzte er: »Mein Gott, früher sah das alles besser aus!« Aber rasch fügte er hinzu: »Man kann natürlich niemandem einen Vorwurf machen. Ihr habt einen schweren Krieg hinter euch und eine Inflation.«

Wenn wir am Nachmittag oder am Abend beisammensaßen, hatte Vater tausend Fragen. Von sich erzählte er kaum etwas, man mußte jedes Wort mühsam aus ihm herauslocken, aber er selbst wollte alles wissen.

Die größten Sorgen machte ihm Deutschlands Zukunft. Er wollte genau wissen, wer dieser Adolf Hitler sei, dessen Anhänger unsere Schule mit Hakenkreuzen beschmiert hatten.

Großvater riet ihm, er solle sich mit Bolko Drewnik unterhalten, der gehöre doch zu den Braunhemden.

Aber Vater winkte ab. »Das habe ich schon getan. Bolko versteht etwas von Pferden, aber nichts von Politik. Er ist ein dummer Junge, fasziniert von diesem Hitler, weiß aber selber nicht, warum.«

Vater war empört darüber, daß dieser Hitler, der gegen die Regierung in Bayern geputscht hatte, zwar verhaftet, verurteilt und in die Festung Landsberg eingesperrt, aber schon nach kurzer Zeit wieder freigelassen worden war.

»In Bayern gehen die Uhren anders«, sagte Großvater, und ich habe das wirklich geglaubt. Ich sah zwar keinen Zusammenhang zwischen Adolf Hitler und den bayerischen Uhren, aber als am nächsten Tag in der Schule meine Freundin Angeline Kiederlich von ihren Ferien am Starnberger See erzählte, fragte ich sie, ob die Uhren in Bayern vor- oder nachgehen. Sie hat mich für blöd erklärt.

Vater ließ mehrere Tageszeitungen kommen und studierte sie jeden Tag fleißig. Er hatte auch eine Erklärung dafür: »Ich komme aus einer anderen Welt, Kinder, ich muß genau erfahren, was hier los ist.«

Dann beschloß er plötzlich, nach Berlin zu fahren. »Nur für ein paar Tage«, sagte er. »Ich will meinen Schwager kennenlernen.«

Er ging gleich ins Verwaltungsbüro, um mit den Steiners zu telefonieren, und schon am nächsten Tag fuhr er ab. Mutti nahm er mit.

Sie blieben eine Woche fort und kamen mit einer sehr traurigen Nachricht zurück: Edwin war bei einer Straßenschlacht von einem SA-Trupp erschlagen worden.

Ich weinte. Sogar Robi kämpfte mit den Tränen.

Am Abend dieses Tages sagte unser Vater zu Großvater: »Ich will euch mitnehmen nach Amerika.«

»Wen willst du mitnehmen?« fragte Großvater.

»Euch alle. Dich, Elisabeth und die Kinder. Ich möchte euch gerne bei mir haben, und außerdem befürchte ich, daß Deutschland schlimme Zeiten bevorstehen.«

»Und was sagt Elisabeth dazu?« wollte Großvater wissen.

Mutti reichte unserem Vater über den Tisch die Hand und sagte: »Elisabeth ist einverstanden.«

Großvater wandte sich an uns: »Und die Kinder?«

»Die Kinder sind zwar nicht gefragt worden, aber sie sind auch einverstanden«, antwortete Robi rasch, wandte sich an mich und fragte mich drohend: »Oder?!«

»Klar«, sagte ich.

Aber Großvater wollte nicht.

»Ihr könnt gehen«, sagte er. »Sicher haben die Kinder drüben eine bessere Zukunft. Aber was soll ein alter Schlesier in Kalifornien?«

Tagelang versuchte unser Vater, Großvater zu überreden, doch der blieb standhaft.

»Ich bin hier geboren — ich will auch hier sterben.«

Großvaters Wunsch ging in Erfüllung: Er starb in den letzten Wochen des Zweiten Weltkriegs, und kurz darauf starb auch das Schloß. Es brannte bis auf den Keller nieder.

Die Brandursache haben wir nie genau erfahren. Zuerst hieß es, die Polen aus dem Dorf hätten das Schloß unter der Anleitung von Jan Krukofka in Brand gesteckt. Dann wurde behauptet, unsere eigenen Landsleute seien die Übeltäter gewesen, deutsche Soldaten, die das Schloß besetzt gehalten und beim Rückzug angezündet hätten.

Nach einer dritten Version waren die Bomben der Alliierten daran schuld gewesen.

Mutti tröstete uns: »Lieber Bomben als menschliche Hand.«

Heute, da ich dies aus der Erinnerung hinschreibe, würde ich Mutti widersprechen, wenn sie noch lebte. Zu viele Bomben sind seither gefallen und haben mehr Leid angerichtet, als dies »menschliche Hand« allein je hätte tun können. Und zu viele Kriege hat es gegeben und gibt es noch, während ich hier in Frieden sitze und schreibe.

Ich sitze unter Akazienbäumen wie damals, vor so vielen Jahren, und die Bienen summen um mich herum, denn die Akazien blühen gerade. Aber Schlesien ist weit weg, und lang liegen sie zurück, die glücklichen Tage, die wir alle zu Hause verbracht haben, auch die herrliche Zeit in Amerika, auf der riesigen Ranch, die unser Vater von Mabel geerbt hatte und auf der Robi heute noch mit seiner Familie lebt.

Auch von dieser Zeit könnte ich viele bunte Geschichten erzählen, und vielleicht tue ich es eines Tages auch, wenn ich die Kraft dazu noch habe — und sei es auch nur für meine Enkelkinder, die alles ganz genau wissen wollen. In solchen Fällen sage ich ihnen manchmal, was mein Großvater zu sagen pflegte, wenn auch das dicke Buch aus der Bibliothek nicht mehr weiter wußte: »Ihr könnt einem wirklich Löcher in den Bauch fragen!«

Aber am Ende hat er uns dann doch immer eine Antwort gegeben.

Inhalt